Section 1 — Numbers and Arithmetic

1.1 Place Value and Ordering Decimals

Page 1 Exercise 1

1 **a) i)** two units **ii)** one tenth **iii)** one hundredth
b) i) four units **ii)** two tenths **iii)** five hundredths
c) i) six units **ii)** nine tenths **iii)** four hundredths
d) i) three units **ii)** three tenths **iii)** two hundredths
e) i) six units **ii)** two tenths **iii)** four hundredths
f) i) zero units **ii)** seven tenths **iii)** eight hundredths
g) i) nine units **ii)** zero tenths **iii)** two hundredths
h) i) two units **ii)** two tenths **iii)** seven hundredths
i) i) zero units **ii)** zero tenths **iii)** five hundredths
j) i) eight units **ii)** four tenths **iii)** zero hundredths

2 **a)** 2, 0.3 **b)** 5, 0.2, 0.03
c) 1, 0.1, 0.03, 0.002 **d)** 7, 0.6, 0.02
e) 0, 0.2, 0.06 **f)** 8, 0.2, 0.07
g) 2, 0.8, 0.01, 0.000 **h)** 8, 0.5, 0.05, 0.002
i) 4, 0.0, 0.02 **j)** 3, 0.3, 0.08, 0.009

3 **a) i)** 0.006 **ii)** six thousandths
b) i) 0.4 **ii)** four tenths
c) i) 0.2 **ii)** two tenths
d) i) 0.03 **ii)** three hundredths
e) i) 0.007 **ii)** seven thousandths
f) i) 0.09 **ii)** nine hundredths
g) i) 1 **ii)** one unit
h) i) 0.00 **ii)** zero hundredths
i) i) 0.9 **ii)** nine tenths
j) i) 0.001 **ii)** one thousandth

Page 2 Exercise 2

1 **a)** £0.09 **b)** £0.12 **c)** £0.60 **d)** £1.99 **e)** £2.40
2 **a)** 8p **b)** 20p **c)** 111p **d)** 403p **e)** 1620p
3 **a)** 0.003 kg **b)** 0.012 kg **c)** 0.135 kg
d) 0.52 kg **e)** 1.345 kg **f)** 7 g
g) 255 g **h)** 140 g **i)** 1772 g
j) 500 g
4 1635 mm

Page 3 Exercise 3

1 **a)** < **b)** < **c)** > **d)** > **e)** > **f)** < **g)** > **h)** <
i) > **j)** > **k)** > **l)** < **m)** > **n)** < **o)** > **p)** <
2 **a)** > **b)** > **c)** < **d)** > **e)** > **f)** < **g)** < **h)** >
i) > **j)** < **k)** > **l)** <
3 **a)** 0.105 m **b)** 15.07 g **c)** 14.199 cm
d) 11.201 kg **e)** 0.975 ms **f)** 9.774 ml
4 **a)** 0.1, 0.11, 0.2 **b)** 0.143, 0.276, 0.33
c) 0.001, 0.002, 0.067 **d)** 1.001, 1.28, 1.281
e) 2.699, 2.7813, 2.785 **f)** 0.832, 1.554, 1.5641
g) 0.0082, 0.009, 0.02 **h)** 12.24, 12.279, 12.287
i) 0.003, 0.023, 1.01 **j)** 17.999, 18.39, 18.3931
k) 3.9, 3.92, 3.9211 **l)** 6, 6.016, 6.081, 6.0822

5 **a)** 6.004, 6.04, 7.04, 7.
b) 0.028, 0.092, 0.096
c) 0.9, 0.901, 0.9023,
d) 1.0276, 1.276, 1.42.
e) 3.0009, 3.001, 3.002, 3.09, 3.9
f) 2.089, 2.09, 2.119, 3.01, 3.119

6 A: 0.05, B: 0.15, C: 0.5, D: 0.525, E: 0.905, F: 0.955

7 **a)**

b)

c)

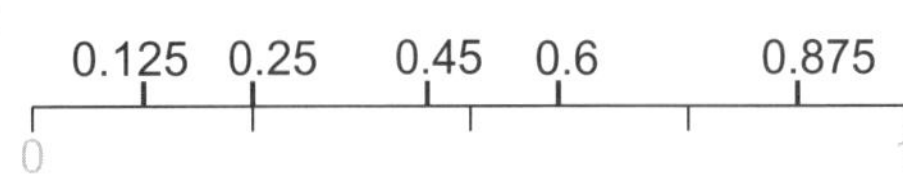

d)

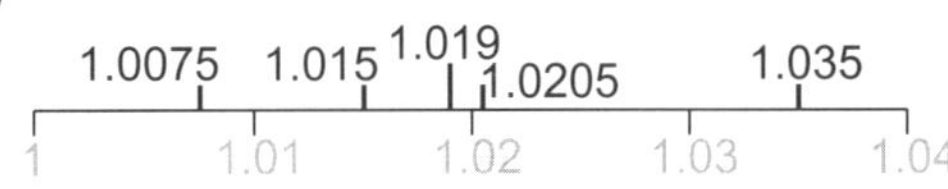

8 **a)** –1.05, –0.5, –0.1, –0.05, 0.05, 0.95, 1.1
b)

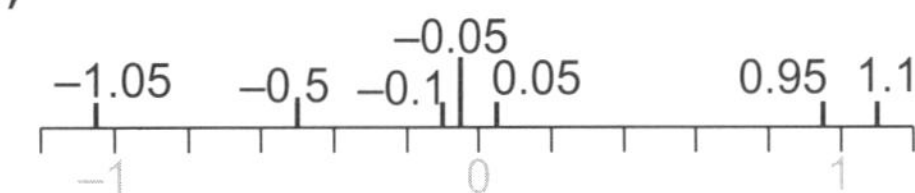

9 **a)** E.g. 0.605 **b)** E.g. 0.7843
c) E.g. 0.998 **d)** E.g. 0.0807
e) E.g. 0.00493 **f)** E.g. –0.00102

1.2 Multiplication and Division

Page 7 Exercise 1

1 **a)** 180 **b)** 260 **c)** 230 **d)** 9000
e) 13 900 **f)** 73 200 **g)** 27 000 **h)** 931 000
2 **a)** 1.4 **b)** 1.2 **c)** 16.4
d) 0.48 **e)** 20.11 **f)** 92.01
g) 1.921 **h)** 0.047
3 **a)** 66 **b)** 285.5 **c)** 1528
d) 2102 **e)** 338.1 **f)** 73.2
g) 56 210 **h)** 106
4 **a)** 22.02 **b)** 1.63 **c)** 1.002
d) 18.289 **e)** 0.5389 **f)** 0.00823
g) 0.11003 **h)** 0.012487
5 **a)** 10 **b)** 100 **c)** 1.3
d) 4669.7 **e)** 100 **f)** 125.9
6 2800
7 12 500 g
8 0.14 litres

Page 8 Exercise 2

1 **a)** 51 **b)** 258 **c)** 87
d) 651 **e)** 180 **f)** 752
g) 132 **h)** 192 **i)** 256
j) 294 **k)** 4355 **l)** 8928

2 a) 3480 b) 16 170 c) 3381
d) 17 458 e) 7520 f) 10 074
g) 7497 h) 6864 i) 10 752
j) 8316 k) 44 608 l) 619 866

3 a) 225 b) 676 c) 6084
d) 1936 e) 1024 f) 6561
g) 2809 h) 9801

4 270

5 1056

6 1136

7 6460

8 35 816

9 a) 58.1 b) 84.6 c) 4.4 d) 13.6
e) 1.6 f) 10.5 g) 23.2 h) 85.5
i) 23.7 j) 13.5 k) 57.6 l) 49.5

10 a) 8.19 b) 25.68 c) 173.2
d) 85.8 e) 315.5 f) 12.84
g) 74.5 h) 63.52 i) 14.46
j) 78.48 k) 612.8 l) 854.1

11 a) 37.2 b) 114 c) 132
d) 524.6 e) 111 f) 196.8
g) 67.2 h) 249.6 i) 247.5
j) 147.4 k) 708.4 l) 374.4
m) 125.4 n) 413.6 o) 504.4
p) 734.7

12 a) 592.8 b) 1664 c) 261
d) 698.9 e) 2225.6 f) 655.2
g) 281.96 h) 729.6 i) 693.6
j) 180.18 k) 524.88 l) 289.8

13 a) 0.27 b) 0.48 c) 0.3
d) 0.138 e) 37.38 f) 3.92
g) 52.14 h) 17.29

14 a) 45.92 b) 13.104 c) 6.315
d) 3.8 e) 14.088 f) 6.336
g) 0.992 h) 3.419

15 a) £4.84 b) £38.88 c) £51.32
d) £64.04 e) £32.28 f) £0.32
g) £240.04 h) £115.64

16 £1879.15

17 4274.5 kg

18 1950 hours

19 27.36 miles

20 345.24 km

21 a) 0.4, 6 b) 0.1, 9 c) 0.3, 4 d) 0.8, 7

Page 13 Exercise 3

1 a) 26 b) 12 c) 34
d) 41 e) 22 f) 12
g) 44 h) 69 i) 37
j) 45 k) 64 l) 76

2 1562 children

3 a) 12.2 b) 37.2 c) 14.4
d) 20.2 e) 44.4 f) 33.5
g) 26.5 h) 36.5 i) 24.5
j) 23.7 k) 33.5 l) 33.5

4 140 people

5 a) 395 r 5 b) 249 r 13 c) 140 r 32
d) 190 r 11 e) 368 r 7 f) 95 r 1
g) 217 r 31 h) 222 r 26

6 a) £435 b) £551.50 c) £297
d) £822.50

7 96 boxes

8 103.5 kg

Page 14 Exercise 4

1 a) 1.3 b) 3.9 c) 6.4
d) 8.9 e) 19.5 f) 9.6
g) 15.2 h) 5.6

2 a) 9.02 b) 6.28 c) 7.89
d) 14.22 e) 11.33 f) 24.32
g) 12.02 h) 19.36

3 a) 4 b) 40
c) i) 400 ii) 4000

1.3 Calculations with Negative Numbers

Page 15 Exercise 1

1 a) 3 b) 9 c) 11
d) –6 e) –4 f) 18
g) 7 h) –11 i) –9
j) –19 k) –58 l) 31

2 a) –3 b) –7 c) –12
d) –4 e) –2 f) –15
g) –16 h) –7

3 a) –11 b) –15 c) –10
d) –20 e) –15 f) –27
g) –37 h) –48

4 a) 8 b) 13 c) –2 d) –11

5 a) 3 °C b) 14 °C c) 25 °C

6 112 cm

7 £33

8 31 metres below sea level

9 a) 178 °F b) 100 °F

Page 17 Exercise 2

1 a) 3 b) 4 c) –1
d) 6 e) –5 f) 15
g) 33 h) –17 i) 46
j) –8 k) 35 l) –38

2 a) 12 b) –2 c) 17
d) –4 e) 39 f) 39
g) –16 h) 97 i) –17
j) 96 k) –23 l) 98

3 a) 35 b) – 29 c) 38
d) 48 e) –34 f) 22
g) 19 h) –65 i) 43
j) –72 k) –67 l) 101

4 a) –12 b) 48 c) 81
d) 33 e) 27 f) –5
g) –24 h) –17 i) –96

Page 18 Exercise 3

1 **a)** –6 **b)** 44 **c)** –15
d) 22 **e)** –30 **f)** –24
g) –66 **h)** 56 **i)** –200
j) 144 **k)** –99 **l)** 240

2 **a)** –2 **b)** –7 **c)** –10
d) –8 **e)** 9 **f)** 5
g) –12 **h)** –4 **i)** –5
j) 9 **k)** –19 **l)** –4

3 **a)** –40 **b)** 9 **c)** –105
d) 168 **e)** –66 **f)** –21
g) –7 **h)** –8 **i)** 21
j) 104 **k)** –25 **l)** –154
m) –111 **n)** 16 **o)** –22
p) –10

4 **a)** –1 **b)** –9 **c)** 120
d) 4 **e)** –9 **f)** 70

5 **a)** –36 **b)** –77 **c)** 8
d) –30 **e)** 13 **f)** –28

6 **a)** –36 **b)** 22 **c)** 24
d) –84 **e)** 189 **f)** –80

1.4 Calculators, BODMAS and Checking

Page 21 Exercise 1

1 **a)** 39 **b)** 14 **c)** 92 **d)** 21
e) 18 **f)** 32 **g)** 78 **h)** 38
i) 23 **j)** 34 **k)** 44 **l)** 26

2 **a)** 2 **b)** 4 **c)** 330
d) 84 **e)** 69 **f)** 11
g) 7 **h)** 80 **i)** 120
j) 22 **k)** 13 **l)** 4

3 **a)** 131 **b)** 58 **c)** 35
d) 17 **e)** 38 **f)** 36
g) 27 **h)** 69 **i)** 30

4 **a)** 4 **b)** 13 **c)** 35
d) 67 **e)** 73 **f)** 24
g) 96 **h)** 43 **i)** 37

5 **a)** 100 **b)** 7 **c)** 26
d) 17 **e)** 27 **f)** 78
g) 324 **h)** 20 **i)** 121
j) 36 **k)** 256 **l)** 170
m) 11 **n)** 64 **o)** 38

Page 23 Exercise 2

1 **a)** $32 \div (4 \times 2) = 4$ **b)** $120 \div (4 + 16) = 6$
c) $13 \times (15 - 12) = 39$ **d)** $(8 - 5) \times 20 = 60$
e) $(10 + 5) \times 9 = 135$ **f)** $(12 + 6) \times 3 = 54$
g) $7 + (132 \div 11) = 19$ **h)** $52 \div (2 + 2) = 13$
i) $(44 + 10) \div 6 = 9$ **j)** $(2 + 7) \times 9 = 81$
k) $60 \times (3 + 11) = 840$ **l)** $(15 - 9) \times 22 = 132$
m) $(16 + 2) \times 3 = 54$ **n)** $(133 - 5) \div 4 = 32$
o) $(18 + 5) \times 6 = 138$

2 **a)** $(12 + 13) \div (7 - 2) = 5$
b) $(2 \times 8 + 2) \div (3 \times 3) = 2$
c) $(12 \times 11 - 2) \div (76 - 66) = 13$
d) $(17 - 3 + 22) \div (3 \times 2) = 6$
e) $(5 \times 3 + 17) \div (16 \div 2) = 4$
f) $(8 \times 2 + 64) \div (43 - 38) = 16$
g) $(51 + 9 + 100) \div (88 \div 11) = 20$
h) $(11 \times 2 \times 5) \div (27 - 16) = 10$
i) $(240 \div 8 \div 5) \div (96 \div 48) = 3$

3 **a)** $(1 + 6) \times 2 \times 8 = 112$
b) $18 \div 2 \times (7 + 3) = 90$
c) $21 - (8 + 3) \times 12 = 120$
d) $8 \times (5 + 6) - 20 = 68$
e) $(11 + 14) \div 5 \times 2 = 10$
f) $2 \times 6 \times (17 - 11) = 72$
g) $9 \times 12 \div (4 + 14) = 6$
h) $88 \div (4 + 4) - 3 = 8$
i) $(15 + 10) \times 7 \div 5 = 35$
j) $(12 \times 8) + 90 \div 3 = 126$

4 **a)** $(18 + (7 \times 2)) \div (56 \div (3 + 4)) = 4$
b) $((12 + 12) \times 4) \div ((8 \times 6) \div 24)) = 48$
c) $(36 \div (13 - 4)) \div (10 - (18 \div 3)) = 1$
d) $(8 \times (11 + 1)) \div ((6 \times 9) \div 18) = 32$
e) $((5 + 7) \times 10) \div ((9 + 1) \times 2) = 6$
f) $((9 + 12) \times 10) \div ((6 \times 5) \div 15) = 105$

5 **a)** $(8 \times 3) \div (16 - 14) = 12$
b) $(29 - 10) + (86 \div 2) = 62$
c) $(9 + 6) \times (14 - 7) = 105$
d) $(6 \times 10 \times 3) - (2 + 18) = 160$

Page 25 Exercise 3

1 **a)** $144 - 88 = 56$ or $144 - 56 = 88$
b) $91 - 77 = 14$ or $91 - 14 = 77$
c) $36 + 61 = 97$ or $61 + 36 = 97$
d) $53 + 13 = 66$ or $13 + 53 = 66$
e) $65 + 54 = 119$ or $54 + 65 = 119$
f) $118 - 94 = 24$ or $118 - 24 = 94$
g) $87 + 65 = 152$ or $65 + 87 = 152$
h) $121 - 94 = 27$ or $121 - 27 = 94$
i) $89 + 99 = 188$ or $99 + 89 = 188$

2 **a)** $20 \div 4 = 5$ or $20 \div 5 = 4$
b) $76 \div 4 = 19$, $76 \div 19 = 4$
c) $24 \times 6 = 144$ or $6 \times 24 = 144$
d) $165 \div 55 = 3$ or $165 \div 3 = 55$
e) $36 \times 5 = 180$ or $5 \times 36 = 180$
f) $209 \div 11 = 19$ or $209 \div 19 = 11$
g) $516 \div 43 = 12$ or $516 \div 12 = 43$
h) $14 \times 18 = 252$ or $18 \times 14 = 252$
i) $51 \times 12 = 612$ or $12 \times 51 = 612$

3 **a)** 7 **b)** 324 **c)** 18
d) 90 **e)** 92 **f)** 29
g) 103 **h)** 165 **i)** 594

4 **a)** 930 – 774 = 156 or 930 – 167 = 763 ×
b) 22 × 24 = 528 or 24 × 22 = 528 ✓
c) 922 ÷ 31 = 29.74... or 922 ÷ 32 = 28.81... ×
d) 69 × 11 = 759 or 11 × 69 = 759 ×
e) 427 + 555 = 982 or 555 + 427 = 982 ×
f) 949 – 285 = 664 or 949 – 664 = 285 ✓
g) 39 × 17 = 663 or 17 × 39 = 663 ✓
h) 874 ÷ 46 = 19 or 874 ÷ 19 = 46 ✓
i) 45 + 493 = 538 or 493 + 45 = 538 ×

Section 2 — Approximations

2.1 Rounding

Page 26 Exercise 1

1 **a)** 3.4 **b)** 6.8 **c)** 5.3
d) 8.9 **e)** 7.6 **f)** 0.6
g) 0.1 **h)** 0.0 **i)** 0.4
j) 0.1 **k)** 21.3 **l)** 12.4
m) 2.9 **n)** 14.2 **o)** 1.0
2 2.83, 2.78, 2.75, 2.765, 2.827, 2.772
3 E.g 9.25, 9.34, 9.289, 9.333
4 **a)** 2.78 **b)** 4.63 **c)** 9.29
d) 0.25 **e)** 0.01 **f)** 1.07
g) 12.36 **h)** 2.03 **i)** 4.93
j) 0.99 **k)** 6.50 **l)** 8.00
5 1.378, 1.384, 1.3821, 1.3846
6 **a)** 7.218 **b)** 5.044 **c)** 2.665
d) 8.505 **e)** 0.047 **f)** 1.041
g) 2.701 **h)** 0.103 **i)** 4.329
j) 7.981 **k)** 1.010 **l)** 4.000
7 **a)** 2.8 **b)** 6.29 **c)** 11.929
d) 0.60 **e)** 5.277 **f)** 123.5
g) 27.63 **h)** 0.041 **i)** 30.0
8 1.68 m
9 1.5 tonnes
10 3.000 km
11 2.35

Page 28 Exercise 2

1 **a)** 500 **b)** 30 **c)** 300
d) 0.7 **e)** 30 **f)** 1000
g) 0.003 **h)** 9000 **i)** 10 000
j) 2 **k)** 200 000 **l)** 300 000
2 **a)** 570 **b)** 930 **c)** 0.063
d) 6600 **e)** 3500 **f)** 0.21
g) 26 000 **h)** 12 000 **i)** 78 000
j) 130 **k)** 5.7 **l)** 0.0021
3 **a)** 9280 **b)** 3740 **c)** 124
d) 13.9 **e)** 0.00508 **f)** 75 600
g) 67 800 **h)** 0.0383 **i)** 176 000
j) 577 000 **k)** 738 **l)** 2.01
4 **a)** 0.08 **b)** 38 **c)** 85.7
d) 4800 **e)** 4000 **f)** 275
g) 0.0072 **h)** 439 000 **i)** 100 000
5 30 mm/s
6 160 000
7 22.8 kg
8 0.00050 km^2

2.2 Estimating

Page 30 Exercise 1

1 **a)** 300 and 100 **b)** 400
2 **a)** 700 and 200 **b)** 500
3 **a)** 800 and 200 **b)** 600
4 **a)** 30 and 8 **b)** 240
5 **a)** 60 and 30 **b)** 2
6 700
7 300
8 200
9 5
10 **a)** 1300 **b)** 240 **c)** 400
d) 600 **e)** 400 **f)** 700
g) 2000 **h)** 10 **i)** 3
j) 20 **k)** 7 **l)** 10
11 **a)** 70 and 7 **b)** 10
12 **a)** 700 and 5 **b)** 3500
13 **a)** 120 **b)** 140 **c)** 400
d) 20 **e)** 20 **f)** 10
14 9p
15 600 g
16 £3
17 60 cm
18 **a)** 20 **b)** 80 **c)** 100 **d)** 70

Page 32 Exercise 2

1 **a)** 10
b) No, Abigail is not correct as her answer is not very close to the estimate (the correct answer is 9.8).
2 **a)** 300
b) Milo is correct, as his answer is closer to the estimate than Luna's.
3 **a)** A **b)** C **c)** A
d) B **e)** C
4 **a)** 617.14 **b)** 35.2 **c)** 166.86
d) 1.36 **e)** 1799.98 **f)** 302.9

Section 3 — Powers

3.1 Powers and Roots

Page 34 Exercise 1

1 **a)** Base: 4 Power: 6 **b)** Base: 9 Power: 7
c) Base: 11 Power: 5 **d)** Base: 6 Power: 4
e) Base: 8 Power: 11 **f)** Base: 100 Power: 1[illegible]
g) Base: 9 Power: 4 **h)** Base: 8 Power: 2
i) Base: 5 Power: 3 **j)** Base: 6 Power: 5
k) Base: 14 Power: 6

2 a) 6^3 b) 9^2 c) 4^4
d) 7^3 e) 5^5 f) 8^6
g) 13^3 h) 15^4 i) 27^5

3 a) $2 \times 2 \times 2 \times 2 \times 2 = 32$
b) $3 \times 3 \times 3 \times 3 \times 3 \times 3 = 729$
c) $4 \times 4 \times 4 \times 4 \times 4 = 1024$
d) $6 \times 6 \times 6 \times 6 \times 6 \times 6 \times 6 = 279\,936$
e) $9 \times 9 \times 9 \times 9 = 6561$
f) $12 \times 12 \times 12 = 1728$

4 a) 16 b) 8 c) 216
d) 20 736 e) 59 049 f) 100 000 000

5 a) 25 b) 8 c) 36
d) 81 e) 27 f) 4

6

a	1	2	3	4	5	6	7	8	9	10
a^2	1	4	9	16	25	36	49	64	81	100

7

a	1	2	3	4	5	10
a^3	1	8	27	64	125	1000

8 a) 121 b) 144 c) 169
d) 225 e) 400 f) 216
g) 512 h) 1000 i) 3375
j) 8000

9 a) 4 b) 0.09 c) 144
d) 0.36 e) 0.064 f) –27
g) –125 h) 0.512 i) 12.96
j) 900 k) –1.331 l) 6.25
m) –1331 n) –0.343 o) 104.04

10 a) three squared b) 6^3 c) 2^7

11 a) 625 b) 7776 c) 16 384
d) 32 768 e) 14 641 f) 2 985 984
g) 19 683 h) 2401 i) 46 656
j) 1024 k) 5 764 801 l) 100 000 000

12 a) 0.0625 b) 729 c) –128
d) 97.65625 e) 1.4641 f) –537 824
g) 34.012224 h) –40.84101

13 a) 24 b) 52 c) 45
d) 280 e) 118 f) 399
g) 17 h) 608 i) 40
j) 107 k) 1050 l) 999 990

14 a) 256, 169, 400 and 144
b) 343 and 8000

15 a) 4 b) 27 c) 16
d) 371 293 e) 81 f) 15 625
g) 32 h) 16 i) 9

16 a) 4 b) 9 c) 3

Page 38 Exercise 2

1 256 ⟶ 16
81 ⟶ 9
100 ⟶ 10
36 ⟶ 6
169 ⟶ 13
49 ⟶ 7

2 a) 2 b) –2 c) 3
d) –3 e) 5 f) –5
g) 8 h) –8 i) 11
j) –11 k) 12 l) –12

3

x	8	27	64	1000
$\sqrt[3]{x}$	2	3	4	10

4 a) 5 b) –2 c) –1
d) –5 e) 6 f) –10

5 a) 32 b) 2

6 a) 2 b) –2 c) 12
d) 6 e) 5 f) 100

7 a) 16 and –16 b) 19 and –19
c) 20 and –20 d) 100 and –100
e) 15 and –15 f) 25 and –25
g) 18 and –18 h) 14 and –14

8 a) 11 b) 9 c) –7 d) –12
e) 20 f) 15 g) –11 h) 8

9 a) 0.5 b) –1.5 c) 2.5 d) 0.9
e) 1.2 f) 0.2 g) –0.3 h) 0.7
i) –2.2 j) 0.9 k) –0.25 l) –0.25

10 a) 2 b) 3 c) 5 d) 10
e) 8 f) 2 g) 4 h) –2
i) 5 j) 3 k) 2 l) –5
m) 1.5 n) 0.5 o) 6 p) 3

11 a) i) 6 ii) e.g. ERROR!
b) Any number to the power of 4 is positive, so a negative number can't have a fourth root.

12 E.g. $\sqrt{0.25} = 0.5$, and $0.25 < 0.5$.
So the statement is not always true.

3.2 Standard Form

Page 41 Exercise 1

1 a) 1000 b) 10 000 c) 100
d) 100 000 e) 1 000 000 f) 10 000 000
g) 100 000 000 h) 1 000 000 000

2 a) 2 b) 3 c) 5 d) 7

3 a) 10^2 b) 10^3 c) 10^4
d) 10^5 e) 10^6 f) 10^7
g) 10^9 h) 10^{12} i) 10^1

4 a) 10^3 b) 10^4 c) 10^2 d) 10^6
e) 10^5 f) 10^7 g) 10^8 h) 10^9

Page 42 Exercise 2

1 3.5×12^2, 55×10^6, $1.25 \times 10^{1.5}$, 6.5×100^2, 0.5×10^7

2 a) $200\,000 = 2 \times 100\,000 = 2 \times 10^5$
b) $3\,000\,000 = 3 \times 1\,000\,000 = 3 \times 10^6$

3 a) 2×10^2 b) 2×10^3 c) 4×10^4
d) 6×10^5 e) 8×10^3 f) 9×10^2
g) 5×10^6 h) 7×10^7 i) 4.5×10^5
j) 4.1×10^3 k) 6.25×10^5 l) 5.4×10^4

4 a) $8 \times 10^3 = 8 \times 1000 = 8000$
b) $5 \times 10^6 = 5 \times 1\,000\,000 = 5\,000\,000$

5 **a)** 4000 **b)** 500
c) 8 000 000 **d)** 7 000 000 000
e) 6200 **f)** 140 000
g) 69 000 000 **h)** 720 000 000
i) 60 500 **j)** 727 000
k) 3 650 000 000 **l)** 5201

6 **a)** 2×10^2, 3×10^2, 2×10^3, 7×10^3, 6×10^4, 4×10^5
b) 9.8×10^2, 2.5×10^3, 1.5×10^4, 6.8×10^4, 1.1×10^6, 4.6×10^6
c) 410 100, 4.105×10^5, 4 100 000, 4 101 000, 4.105×10^6, 4.11×10^6

7 **a)** 2.5×10^3 **b)** 9×10^4 **c)** 9.27×10^6
d) 2.652×10^5 **e)** 6×10^4 **f)** 4.1×10^7

8 4.99×10^7

Section 4 — Multiples, Factors and Primes

4.1 Multiples

Page 44 Exercise 1

1 **a)** 2, 4, 6, 8, 10 **b)** 5, 10, 15, 20, 25
c) 7, 14, 21, 28, 35 **d)** 9, 18, 27, 36, 45
e) 8, 16, 24, 32, 40 **f)** 11, 22, 33, 44, 55

2 **a)** 36, 18, 24, 12, 30 **b)** 24, 16, 32, 40

3 12, 24, 36, 48

4 36, 45, 54

5 **a)** 33 **b)** 21, 28, 35, 42, 49 **c)** 56

6 **a)** 12, 14, 16, 18, 20, 22, 24
b) 12, 15, 18, 21, 24
c) 12, 18, 24

7 22, 17, 23, 65, 77, 49

Page 46 Exercise 2

1 **a)** 2, 4, 6, 8, 10, 12, 14, 16, 18, 20
b) 3, 6, 9, 12, 15, 18, 21, 24, 27, 30
c) 6, 12, 18
d) 6

2 **a)** 4, 8, 12, 16, 20, 24, 28, 32
b) 7, 14, 21, 28, 35, 42, 49, 56
c) 28

3 **a)** 6, 12, 18, 24, 30
b) 9, 18, 27, 36, 45
c) 18

4 **a)** 15 **b)** 14 **c)** 12
d) 45 **e)** 21 **f)** 72

5 **a)** 12 **b)** 40 **c)** 36

6 **a)** 3, 6, 9, 12, 15 **b)** 4, 8, 12, 16, 20
c) 6, 12, 18, 24, 30 **d)** 12

7 **a)** Multiples of 4: 4, 8, 12, 16, 20, 24, 28, 32
Multiples of 6: 6, 12, 18, 24, 30, 36, 42, 48
Multiples of 8: 8, 16, 24, 32, 40, 48, 56, 64
b) 24

8 **a)** Multiples of 3: 3, 6, 9, 12, 15, 18, 21, 24
Multiples of 6: 6, 12, 18, 24, 30, 36, 42, 48
Multiples of 9: 9, 18, 27, 36, 45, 54, 63, 72
b) 18

9 **a)** 12 **b)** 30 **c)** 30
d) 30 **e)** 40 **f)** 36

10 **a)** Week 8, 16, 24, 32, 36, 40, 44, 48
b) Week 12, 24, 36, 48
c) Week 24

11 35 days

12 30 children

4.2 Factors

Page 48 Exercise 1

1 **a)** 3×5
$4 \times$ —
b) 3×8
4×6
$5 \times$ —

2 **a)** 1, 2, 5 **b)** 1 **c)** 1, 2, 5
d) 1, 2, 4, 7 **e)** 1, 2 **f)** 1, 2, 4, 8

3 **a)** 1, 7 **b)** 1, 5, 25
c) 1, 2, 4, 8, 16 **d)** 1, 3, 5, 9, 15, 45
e) 1, 2, 4, 8, 16, 32, 64
f) 1, 2, 3, 4, 6, 8, 12, 16, 24, 48

4 **a)** 2, 4 **b)** 3

5 **a)** $1 + 2 + 4 + 5 + 10 + 20 = 42 \neq 20 \times 2$
b) $1 + 2 + 4 + 7 + 14 + 28 = 56 = 28 \times 2$

Page 50 Exercise 2

1 **a)** 1, 2, 3, 6 **b)** 1, 2, 3, 4, 6, 8, 12, 24
c) 1, 2, 3, 6 **d)** 6

2 **a)** 1, 2, 5, 10 **b)** 1, 3, 5, 15 **c)** 5

3 **a)** 1, 2, 3, 4, 6, 12 **b)** 1, 5, 25 **c)** 1

4 **a)** 4 **b)** 8 **c)** 7
d) 5 **e)** 6 **f)** 10

5 **a)** 1 **b)** 1 **c)** 1
d) 1 **e)** 1 **f)** 1

6 **a)** 4 **b)** 2 **c)** 10
d) 7 **e)** 3 **f)** 8

7 **a)** 1, 2, 4, 8
b) 1, 2, 4, 7, 14, 28
c) 1, 2, 3, 4, 6, 9, 12, 18, 36
d) 1, 2, 4
e) 4

8 **a)** 1, 2, 4, 5, 10, 20
b) 1, 5, 25
c) 1, 2, 4, 5, 8, 10, 20, 40
d) 5

9 **a)** Factors of 6: 1, 2, 3, 6
Factors of 18: 1, 2, 3, 6, 9, 18
Factors of 36: 1, 2, 3, 4, 6, 9, 12, 18, 36
b) 6

10 **a)** 1 **b)** 4 **c)** 1 **d)** 15
e) 1 **f)** 6 **g)** 3 **h)** 9
i) 4 **j)** 1 **k)** 7 **l)** 6

11 12 grandchildren

4.3 Prime Numbers

Page 52 Exercise 1

1 **a)** Factors of 30: 1, 2, 3, 5, 6, 10, 15, 30
Factors of 31: 1, 31
Factors of 32: 1, 2, 4, 8, 16, 32

b) 31 is a prime number as its only factors are itself and 1.

2 **a)** 45

b) $45 = 5 \times 9$, so it is not prime (it has factors other than itself and 1).

3 **a)** 21, 25 and 27

b) $21 = 3 \times 7$, $25 = 5 \times 5$ and $27 = 3 \times 9$ — they all have factors other than themselves and 1, so are not prime.

4 7, 23, 53, 59

5 **a)** 11, 13, 17, 19 **b)** 31, 37

6 **a)** 67 **b)** 41, 43, 47

7 E.g. $42 = 6 \times 7$, so it has factors other than itself and 1.

8 The only factors of 41 are 1 and 41, so it is prime.

9 No, 51 is not prime, as $51 = 3 \times 17$ — so it has factors other than itself and 1.

10 71, 73, 79

11 The first four numbers end in an even number, so they will all have a factor of 2, which means they are not prime. The last six numbers end in 5 or 0, so they will all have a factor of 5, which means they are not prime.

12 **a)** E.g. 5 and 11

b) E.g. 7 and 29

c) E.g. $2 + 3 = 5$, which is odd

Page 54 Exercise 2

1 **a)** **i)**

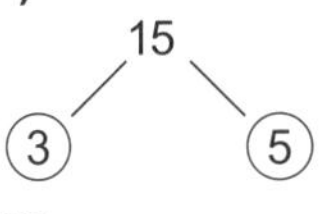

ii)

9
3 3

iii)

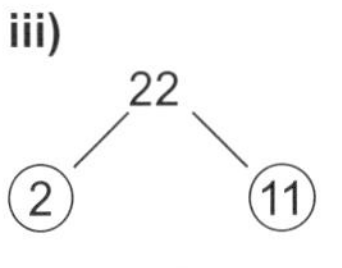

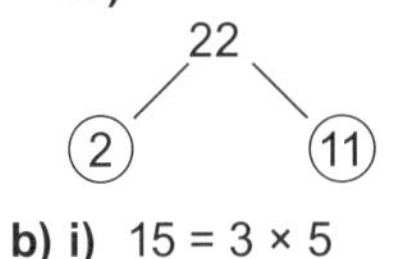

iv)

35
5 7

b) **i)** $15 = 3 \times 5$ **ii)** $9 = 3 \times 3 = 3^2$

iii) $22 = 2 \times 11$ **iv)** $35 = 5 \times 7$

2 **a)** $4 = 2 \times 2 = 2^2$ **b)** $10 = 2 \times 5$ **c)** $26 = 2 \times 13$

d) $34 = 2 \times 17$ **e)** $55 = 5 \times 11$ **f)** $65 = 5 \times 13$

3 **a)** **i)**

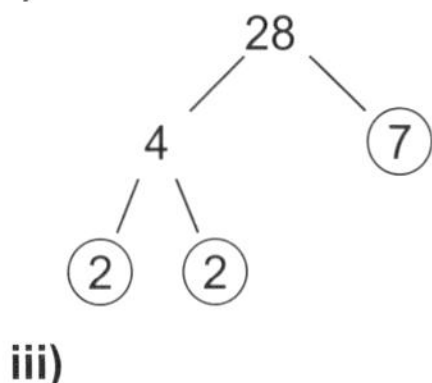

ii)

45
5 9
3 3

iii) **iv)**

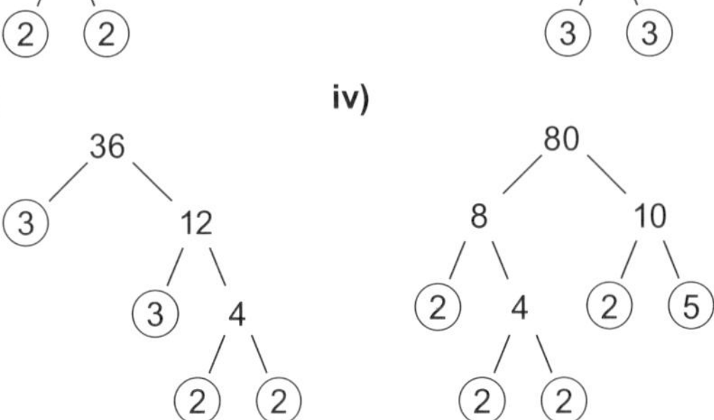

b) **i)** $28 = 2^2 \times 7$ **ii)** $45 = 3^2 \times 5$

iii) $36 = 2^2 \times 3^2$ **iv)** $80 = 2^4 \times 5$

4 **a)** **i)**

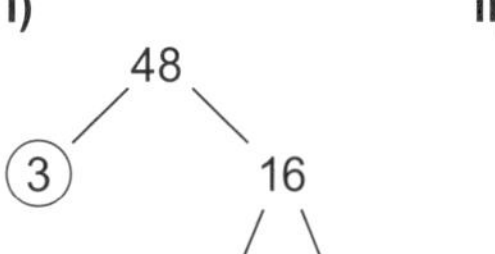

ii)

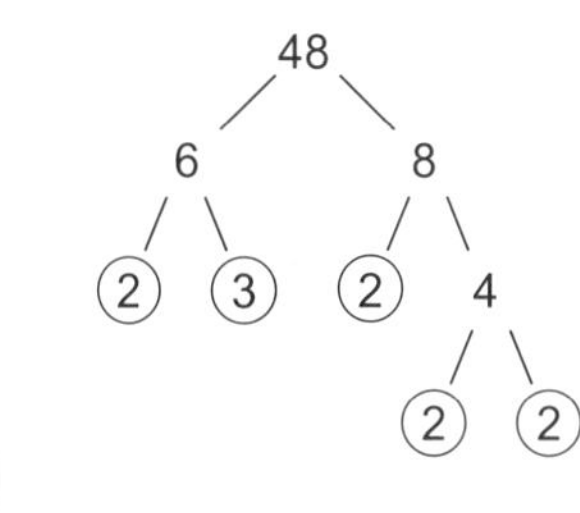

iii)

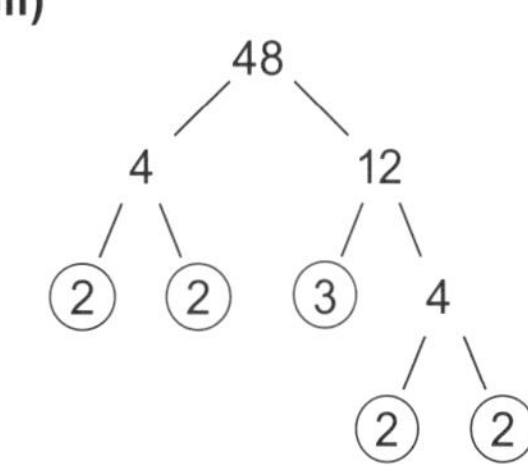

b) $48 = 2^4 \times 3$. The prime factors are the same whichever factor tree you use.

5 **a)** $27 = 3^3$ **b)** $30 = 2 \times 3 \times 5$

c) $63 = 3^2 \times 7$ **d)** $75 = 3 \times 5^2$

e) $99 = 3^2 \times 11$ **f)** $110 = 2 \times 5 \times 11$

6 **a)** $40 = 2^3 \times 5$ **b)** $56 = 2^3 \times 7$

c) $64 = 2^6$ **d)** $81 = 3^4$

e) $108 = 2^2 \times 3^3$ **f)** $120 = 2^3 \times 3 \times 5$

7 **a)** $20 = 2^2 \times 5$ **b)** $32 = 2^5$

c) $44 = 2^2 \times 11$ **d)** $54 = 2 \times 3^3$

e) $72 = 2^3 \times 3^2$ **f)** $88 = 2^3 \times 11$

g) $124 = 2^2 \times 31$ **h)** $144 = 2^4 \times 3^2$

i) $225 = 3^2 \times 5^2$

8 **a)** $96 = 2^5 \times 3$

b) $1440 = 2^5 \times 3^2 \times 5$

9 **a)** $210 = 2 \times 3 \times 5 \times 7$

b) $70 = 2 \times 5 \times 7$

10 **a)**

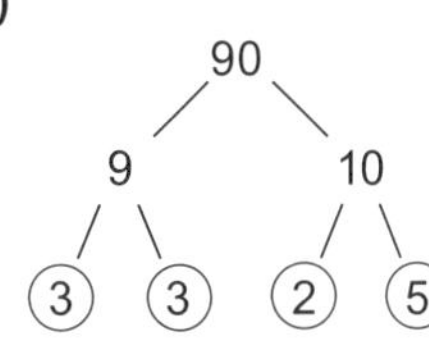

b) $90 = 2 \times 3^2 \times 5$

c) $90^2 = 2^2 \times 3^4 \times 5^2$

Section 5 — Fractions and Percentages

5.1 Adding and Subtracting Fractions

Page 57 Exercise 1

1 $\frac{7}{9}$

2 $\frac{3}{4}$

3 **a)** $\frac{1}{6}+\frac{1}{3}=\frac{1}{6}+\frac{2}{6}=\frac{3}{6}$

b) $\frac{5}{9}+\frac{1}{3}=\frac{5}{9}+\frac{3}{9}=\frac{8}{9}$

c) $\frac{5}{6}-\frac{3}{12}=\frac{10}{12}-\frac{3}{12}=\frac{7}{12}$

d) $\frac{11}{12}-\frac{1}{3}=\frac{11}{12}-\frac{4}{12}=\frac{7}{12}$

e) $\frac{1}{2}+\frac{1}{5}=\frac{5}{10}+\frac{2}{10}=\frac{7}{10}$

f) $\frac{2}{3}-\frac{1}{7}=\frac{14}{21}-\frac{3}{21}=\frac{11}{21}$

4 **a)** $\frac{10}{15}, \frac{3}{15}$ **b)** $\frac{13}{15}$

5 **a)** $\frac{12}{20}, \frac{5}{20}$ **b)** $\frac{7}{20}$

6 **a)** $\frac{1}{2}$ **b)** $\frac{4}{5}$ **c)** $\frac{1}{3}$ **d)** $\frac{1}{4}$

e) $\frac{7}{24}$ **f)** $\frac{1}{10}$ **g)** $\frac{24}{25}$ **h)** $\frac{8}{11}$

i) $\frac{5}{9}$ **j)** $\frac{3}{5}$ **k)** $\frac{3}{7}$ **l)** $\frac{1}{3}$

7 **a)** $\frac{11}{12}$ **b)** $\frac{17}{24}$ **c)** $\frac{7}{10}$ **d)** $\frac{4}{15}$

e) $\frac{17}{21}$ **f)** $\frac{11}{20}$ **g)** $\frac{16}{35}$ **h)** $\frac{9}{28}$

8 $\frac{2}{3}$

9 $\frac{18}{35}$ m

10 $\frac{3}{8}$ kg

11 **a)** $\frac{1}{6}, \frac{11}{24}$ **b)** $\frac{7}{12}, \frac{1}{3}$

Page 60 Exercise 2

1 **a)** $\frac{8}{4}$ **b)** $\frac{15}{5}$

2 **a)** 12 **b)** 12 **c)** 5 **d)** 6

3 **a)** 20 **b)** $\frac{23}{4}$

4 **a)** 28 **b)** $\frac{31}{7}$

5 **a)** 9 **b)** 11 **c)** 17 **d)** 23

6 **a)** $\frac{10}{7}$ **b)** $\frac{8}{5}$ **c)** $\frac{31}{8}$ **d)** $\frac{39}{10}$

e) $\frac{24}{5}$ **f)** $\frac{77}{9}$ **g)** $\frac{64}{5}$ **h)** $\frac{55}{4}$

i) $\frac{37}{3}$ **j)** $\frac{23}{6}$ **k)** $\frac{115}{12}$ **l)** $\frac{62}{11}$

Page 61 Exercise 3

1 **a)** 2 **b)** 3 **c)** 9 **d)** 9

2 **a)** 15 **b)** $5\frac{1}{3}$

3 **a)** 6 **b)** $1\frac{2}{3}$

4 **a)** $1\frac{3}{4}$ **b)** $1\frac{1}{3}$ **c)** $1\frac{3}{8}$ **d)** $1\frac{1}{10}$

e) $1\frac{4}{5}$ **f)** $2\frac{1}{2}$ **g)** $1\frac{9}{11}$ **h)** $1\frac{7}{9}$

i) $1\frac{1}{5}$ **j)** $1\frac{6}{7}$

5 **a)** $\frac{15}{2}$ **b)** $7\frac{1}{2}$

6 **a)** $1\frac{3}{4}$ **b)** $1\frac{2}{3}$ **c)** $3\frac{1}{3}$ **d)** $4\frac{1}{2}$

e) $2\frac{1}{3}$ **f)** $3\frac{1}{2}$ **g)** $4\frac{2}{3}$ **h)** $5\frac{2}{11}$

i) $6\frac{1}{2}$ **j)** $3\frac{1}{3}$

7 **a)** $\frac{13}{5}$ **b)** $\frac{17}{5}$ **c)** $3\frac{2}{5}$

8 **a)** $3\frac{1}{2}$ **b)** $3\frac{1}{7}$ **c)** $2\frac{2}{5}$

d) $5\frac{6}{7}$ **e)** $7\frac{3}{4}$ **f)** $1\frac{5}{9}$

9 **a)** **i)** $\frac{13}{4}$ **ii)** $\frac{11}{6}$

b) $1\frac{5}{12}$

10 **a)** $3\frac{1}{2}$ **b)** $2\frac{9}{40}$ **c)** $2\frac{1}{12}$

d) $7\frac{11}{18}$ **e)** $5\frac{5}{18}$ **f)** $2\frac{1}{12}$

11 **a)** $1\frac{2}{3}$ **b)** $4\frac{3}{4}$

5.2 Multiplying and Dividing Fractions

Page 63 Exercise 1

1 **a)** 40 kg **b)** 33 miles **c)** 56 cm

2 **a)** 18 **b)** 16

3 360

4 **a)** 45 **b)** 24

5 128

6 12 red sweets

Page 64 Exercise 2

1 **a)** $\frac{1}{3}\times\frac{1}{4}=\frac{1\times 1}{3\times 4}=\frac{1}{12}$ **b)** $\frac{1}{3}\times\frac{1}{5}=\frac{1\times 1}{3\times 5}=\frac{1}{15}$

c) $\frac{3}{4}\times\frac{1}{7}=\frac{3\times 1}{4\times 7}=\frac{3}{28}$ **d)** $\frac{2}{5}\times\frac{3}{5}=\frac{2\times 3}{5\times 5}=\frac{6}{25}$

e) $\frac{2}{9}\times\frac{3}{4}=\frac{2\times 3}{9\times 4}=\frac{6}{36}$ **f)** $\frac{1}{9}\times\frac{1}{8}=\frac{1\times 1}{9\times 8}=\frac{1}{72}$

g) $\frac{1}{7}\times\frac{4}{5}=\frac{1\times 4}{7\times 5}=\frac{4}{35}$ **h)** $\frac{3}{7}\times\frac{4}{5}=\frac{3\times 4}{7\times 5}=\frac{12}{35}$

2 **a)** $\frac{5}{21}$ **b)** $\frac{1}{16}$ **c)** $\frac{2}{27}$ **d)** $\frac{3}{32}$

e) $\frac{3}{40}$ **f)** $\frac{1}{18}$ **g)** $\frac{4}{35}$ **h)** $\frac{4}{15}$

i) $\frac{1}{36}$ **j)** $\frac{2}{35}$

3 a) $\frac{8}{21}$ b) $\frac{12}{45}$ c) $\frac{30}{49}$ d) $\frac{25}{42}$

4 a) $\frac{3}{10}$ b) $\frac{1}{6}$ c) $\frac{1}{8}$ d) $\frac{4}{9}$ e) $\frac{1}{3}$
f) $\frac{1}{7}$ g) $\frac{1}{7}$ h) $\frac{2}{15}$ i) $\frac{1}{3}$ j) $\frac{2}{5}$

5 a) i) $\frac{7}{3}$ ii) $\frac{5}{4}$
b) $2\frac{11}{12}$

6 a) $6\frac{5}{12}$ b) $4\frac{8}{25}$ c) $4\frac{1}{5}$
d) $3\frac{3}{5}$ e) $2\frac{11}{12}$

7 $30\frac{3}{5}$ metres

8 $6\frac{1}{2}$ miles

Page 66 Exercise 3

1 a) $\frac{1}{8} \div \frac{1}{4} = \frac{1}{8} \times \frac{4}{1} = \frac{1 \times 4}{8 \times 1} = \frac{4}{8}$
b) $\frac{2}{5} \div \frac{1}{2} = \frac{2}{5} \times \frac{2}{1} = \frac{2 \times 2}{5 \times 1} = \frac{4}{5}$
c) $\frac{1}{4} \div \frac{5}{6} = \frac{1}{4} \times \frac{6}{5} = \frac{1 \times 6}{4 \times 5} = \frac{6}{20}$
d) $\frac{4}{7} \div \frac{2}{3} = \frac{4}{7} \times \frac{3}{2} = \frac{4 \times 3}{7 \times 2} = \frac{12}{14}$
e) $\frac{3}{8} \div \frac{1}{2} = \frac{3}{8} \times \frac{2}{1} = \frac{3 \times 2}{8 \times 1} = \frac{6}{8}$
f) $\frac{1}{9} \div \frac{3}{8} = \frac{1}{9} \times \frac{8}{3} = \frac{1 \times 8}{9 \times 3} = \frac{8}{27}$

2 a) $\frac{8}{9}$ b) $\frac{4}{5}$ c) $\frac{5}{16}$
d) $\frac{36}{121}$ e) $\frac{2}{5}$ f) $\frac{2}{3}$

3 a) $3 \div \frac{3}{5} = 3 \times \frac{5}{3} = \frac{3 \times 5}{3} = \frac{15}{3} = 5$
b) $4 \div \frac{2}{6} = 4 \times \frac{6}{2} = \frac{4 \times 6}{2} = \frac{24}{2} = 12$

4 a) 33 b) 21 c) 6 d) 9 e) 20

5 a) $\frac{5}{6} \div 4 = \frac{5}{6} \times \frac{1}{4} = \frac{5 \times 1}{6 \times 4} = \frac{5}{24}$
b) $\frac{7}{8} \div 6 = \frac{7}{8} \times \frac{1}{6} = \frac{7 \times 1}{8 \times 6} = \frac{7}{48}$

6 a) $\frac{1}{6}$ b) $\frac{1}{6}$ c) $\frac{1}{6}$ d) $\frac{1}{8}$ e) $\frac{1}{11}$

7 a) $\frac{11}{12}$ b) $\frac{11}{24}$ c) $\frac{6}{7}$ d) $\frac{29}{40}$ e) $\frac{26}{45}$

8 a) $6\frac{3}{5}$ b) $8\frac{4}{7}$ c) $3\frac{9}{14}$ d) $2\frac{1}{3}$ e) $6\frac{2}{3}$

9 $\frac{1}{7}$

10 $\frac{1}{10}$ m

11 $\frac{2}{9}$

12 $\frac{11}{12}$

13 9

5.3 Changing Fractions to Decimals and Percentages

Page 68 Exercise 1

1 a) 0.625 b) 0.15625 c) 0.44
d) 0.225 e) 0.5625 f) 0.0625
g) 0.4375 h) 0.18 i) 0.056
j) 0.024 k) 0.044 l) 0.1488

2 a) 1.35 b) 1.375 c) 3.75
d) 1.5875 e) 4.125 f) 1.368

3 a) 0.125 b) 0.875 c) 2.125
d) 0.35 e) 0.275 f) 1.1875

Page 69 Exercise 2

1 a) $\frac{9}{10}$ = 9 tenths = 0.9
b) $\frac{5}{100}$ = 5 hundredths = 0.05
c) $\frac{16}{1000}$ = 16 thousandths = 0.016
d) $\frac{98}{100}$ = 98 hundredths = 0.98

2 a) 0.4 b) 0.8 c) 0.2
d) 0.3 e) 0.04 f) 0.06
g) 0.81 h) 0.14 i) 0.26
j) 0.002 k) 0.005 l) 0.057
m) 0.039 n) 0.391

3 a) 2 b) 0.2

4 a) $\frac{6}{10}$ b) 0.6

5 a) i) $\frac{8}{10}$ ii) 0.8
b) i) $\frac{2}{10}$ ii) 0.2
c) i) $\frac{4}{10}$ ii) 0.4

6 a) i) $\frac{15}{100}$ ii) 0.15
b) i) $\frac{44}{100}$ ii) 0.44
c) i) $\frac{16}{100}$ ii) 0.16
d) i) $\frac{45}{100}$ ii) 0.45
e) i) $\frac{96}{100}$ ii) 0.96
f) i) $\frac{60}{100}$ ii) 0.6

7 a) i) $\frac{18}{1000}$ ii) 0.018
b) i) $\frac{62}{1000}$ ii) 0.062
c) i) $\frac{80}{1000}$ ii) 0.08
d) i) $\frac{125}{1000}$ ii) 0.125
e) i) $\frac{185}{1000}$ ii) 0.185
f) i) $\frac{44}{1000}$ ii) 0.044
g) i) $\frac{14}{1000}$ ii) 0.014
h) i) $\frac{78}{1000}$ ii) 0.078
i) i) $\frac{94}{1000}$ ii) 0.094
j) i) $\frac{45}{1000}$ ii) 0.045
k) i) $\frac{205}{1000}$ ii) 0.205
l) i) $\frac{52}{1000}$ ii) 0.052

8 a) 0.32 b) 0.28 c) 0.6 d) 0.42
e) 0.48 f) 0.44 g) 0.95 h) 0.85
i) 0.74 j) 0.64 k) 0.55 l) 0.36

9 a) 0.22 b) 0.52 c) 0.182 d) 0.935
e) 0.402 f) 0.412 g) 0.635 h) 0.495
i) 0.49 j) 0.015 k) 0.036 l) 0.034

10 0.65

11 $\frac{6}{25} = 0.24$

Page 72 Exercise 3

1 a) $\frac{3}{10}$ b) $\frac{7}{10}$ c) $\frac{1}{100}$
d) $\frac{3}{1000}$ e) $\frac{13}{100}$ f) $\frac{17}{1000}$

2 a) $\frac{1}{2}$ b) $\frac{4}{5}$ c) $\frac{1}{5}$ d) $\frac{3}{25}$
e) $\frac{11}{25}$ f) $\frac{19}{50}$ g) $\frac{16}{25}$ h) $\frac{1}{25}$
i) $\frac{1}{20}$ j) $\frac{9}{40}$ k) $\frac{9}{200}$ l) $\frac{1}{125}$

3 E.g. $\frac{17}{40}$

Page 73 Exercise 4

1 a) 80% b) 40% c) 14% d) 36%
e) 35% f) 8% g) 61% h) 10%
i) 65% j) 32% k) 60% l) 40%

2 72%

3 29%

4 82%

5 52%

6 a) 12% b) 37% c) 94% d) 61%
e) 3% f) 9%

7 a) i) 67% ii) $\frac{67}{100}$
b) i) 77% ii) $\frac{77}{100}$
c) i) 1% ii) $\frac{1}{100}$
d) i) 84% ii) $\frac{21}{25}$
e) i) 45% ii) $\frac{9}{20}$
f) i) 5% ii) $\frac{1}{20}$

8 a) i) 0.49 ii) 49%
b) i) 0.33 ii) 33%
c) i) 0.3 ii) 30%
d) i) 0.9 ii) 90%
e) i) 0.5 ii) 50%
f) i) 0.25 ii) 25%
g) i) 0.6 ii) 60%

9 a) i) 0.45 ii) 45%
b) i) 0.84 ii) 84%
c) i) 0.26 ii) 26%
d) i) 0.8 ii) 80%
e) i) 0.45 ii) 45%
f) i) 0.4 ii) 40%

10 28%

11 0.4

12 10%

Page 75 Exercise 5

1 a) 35 b) $\frac{35}{100}$ or $\frac{7}{20}$ c) 0.35
d) 35% e) 65% f) $\frac{13}{20}$

2 a) i) 0.39 ii) $\frac{39}{100}$
b) i) 0.48 ii) $\frac{12}{25}$
c) i) 0.5 ii) $\frac{1}{2}$
d) i) 0.13 ii) $\frac{13}{100}$
e) i) 0.09 ii) $\frac{9}{100}$
f) i) 0.6 ii) $\frac{3}{5}$
g) i) 0.25 ii) $\frac{1}{4}$
h) i) 0.3 ii) $\frac{3}{10}$
i) i) 0.55 ii) $\frac{11}{20}$
j) i) 0.75 ii) $\frac{3}{4}$
k) i) 0.05 ii) $\frac{1}{20}$
l) i) 0.22 ii) $\frac{11}{50}$

3 $\frac{17}{20}$

4 0.47

5 70

Page 76 Exercise 6

1 a) 12% b) 38% c) 89%
2 90%
3 92%
4 2.5%
5 25%
6 55%
7 55%

Page 77 Exercise 7

1 a) 27% b) $\frac{1}{2}$ c) 0.81 d) 0.66
2 a) $\frac{28}{100}$, 30%, 0.32 b) $\frac{1}{2}$, 0.56, 58%
c) 19%, $\frac{1}{5}$, 0.22 d) $\frac{69}{100}$, 0.7, 71%
e) $\frac{4}{10}$, 41%, 0.42 f) 0.04, $\frac{1}{4}$, 26%
3 a) 0.63 b) 0.6 c) $\frac{3}{5}$, 63%, 0.66
4 a) 0.44 b) 0.3 c) 0.65 d) 80%
e) 0.3 f) 0.1 g) 0.8 h) $\frac{2}{20}$
5 a) 43% b) $\frac{18}{30}$ c) 0.85
d) 0.41 e) 0.25 f) $\frac{19}{20}$
6 a) 0.11, 24%, $\frac{11}{44}$ b) 2%, $\frac{8}{40}$, 0.8
c) 0.7, $\frac{21}{28}$, 76%
7 a) 0.25 b) $\frac{6}{100}$ c) $\frac{1}{12}$ d) 3%
e) 6% f) 0.4 g) $\frac{33}{50}$ h) 25%
8 a) 95%, 0.91, $\frac{18}{20}$ b) 51%, 0.5, $\frac{1}{5}$
c) 0.6, $\frac{6}{25}$, 23% d) 31%, $\frac{3}{10}$, 0.03
9 Shop B
10 Yes
11 Calum
12 Daisy

5.4 Percentages of Amounts

Page 79 Exercise 1

1 a) 4 b) 10 c) 12 cm
d) 5 kg e) £3.50
2 a) £5 b) £20
3 18
4 £300
5 6000
6 40
7 24
8 a) 6 b) 12
9 a) 9 b) 27
10 a) 7 kg b) 28 kg
11 a) £3 b) £18
12 a) £24 b) 24 c) 12 cm d) 35 miles
13 a) 4 b) 2
14 a) 16 km b) 8 km
15 a) 6 b) 3 c) 9
16 a) £30 b) £15 c) £105
17 £0.90
18 a) 1.5 b) £36 c) 49 m d) 13.5
e) 21 cm f) £25 g) £99 h) 160
19 £90
20 a) 24 b) 84
21 a) 2 b) 3 c) 43 kg
d) 8 e) £340 f) 4 cm
g) 24 h) 18 ml i) £0.27
j) £13.50 k) 14 l) 30
m) 154 miles n) 8 m o) 225
p) 39 g
22 a) £2 b) 60 km c) 18
d) 8 e) 10 f) 36
g) 4 h) 10 kg i) 18
j) 4.5 miles k) 40.5 l) £11.20
23 £18.60
24 £420
25 588

Page 82 Exercise 2

1 a) 22.5 b) 1.28 c) 17.55
d) 26.88 e) 209.35 f) 249.6
g) 115 h) 492 i) 123.12
j) 259.92 k) 48.78 l) 211.86
2 a) 8.16 kg b) 29.9 cm c) 165.54 miles
d) 25.2 km e) £48.99 f) £7.84
3 a) 4.544 b) 2.856 c) 17.556
d) 15.984 e) 83.214 cm f) 26.645 kg
g) 210.7 g h) £7.80
4 30 miles
5 £81

5.5 Percentage Change

Page 83 Exercise 1

1 a) i) 1.1 ii) 154
b) i) 1.3 ii) 52
c) i) 1.2 ii) 720
d) i) 1.15 ii) 207
2 a) 255 kg b) 445.5 km c) 43.2 cm
d) 17.25 g e) 591.6 m f) 2320 ml
3 a) i) 0.8 ii) 128
b) i) 0.6 ii) 54
c) i) 0.7 ii) 560
d) i) 0.75 ii) 120
4 a) 608 b) 179.2 c) 540
d) 174 e) 46.2 f) 56.7
5 a) £19.20 b) 38.7 cm c) 135.16 kg
d) 16.92 km
6 £37.10

Section 6 — Ratio and Proportion

6.1 Comparing Quantities Using Fractions and Ratios

Page 85 Exercise 1

1 a) $\frac{4}{5}$ b) $\frac{5}{8}$ c) $\frac{1}{3}$ d) $\frac{1}{2}$
2 a) $\frac{3}{2}$ b) $\frac{9}{4}$ c) $\frac{7}{4}$ d) $\frac{19}{12}$
3 a) i) $\frac{11}{16}$ ii) $\frac{16}{11}$
b) $\frac{11}{16}$
4 a) i) $\frac{5}{6}$ ii) $\frac{6}{5}$
b) $\frac{6}{5}$
5 a) $\frac{4}{5}$ b) 80%
6 a) $\frac{7}{5}$ b) 140%
7 a) 70% b) 30% c) 75% d) 60%
8 a) 125% b) 120% c) 200% d) 115%
9 a) $\frac{1}{3}$ b) $\frac{7}{4}$ c) green, pink
10 a) 80% b) $\frac{7}{6}$
11 $\frac{4}{3}$
12 $\frac{5}{3}$

Page 87 Exercise 2

1 a) 2:1 b) 1:4 c) 1:2 d) 1:5
2 a) 6:1 b) $\frac{1}{6}$
3 a) $\frac{1}{5}$ b) 4:1 c) $\frac{1}{4}$
4 a) $\frac{2}{5}$ b) $\frac{5}{2}$ c) $\frac{5}{7}$
5 a) $\frac{3}{4}$ b) 300% c) $\frac{1}{2}$
6 6:2:3

6.2 Ratio and Proportion Problems

Page 89 Exercise 1

1 a) 1:2 b) 1:2 c) 1:3 d) 1:4
e) 4:1 f) 2:1 g) 3:1 h) 2:1
i) 2:3 j) 3:5 k) 2:5 l) 2:5
m) 5:4 n) 3:2 o) 3:2 p) 3:2
2 2:1
3 1:3
4 a) 5:9 b) 3:7
5 2:3
6 5:2
7 a) 30 b) 1:3
8 a) 1:5 b) 1:3 c) 1:4
d) 3:4 e) 3:5 f) 8:5
g) 10:3 h) 20:3 i) 1:30
9 a) 2:1:1 b) 5:3:1 c) 2:3:4
10 4:7
11 2:1
12 1:200 000
13 a) 4:3 b) 10

Page 92 Exercise 2

1 8
2 27
3 16
4 15
5 12
6 6 litres
7 200 g
8 £49
9 105 cm
10 2.2 m
11 5 years

Page 93 Exercise 3

1 a) 4 and 12 b) 9 and 12
2 a) 6 and 16 b) 60 and 70
3 a) £5 and £25 b) £12 and £18
c) £9 and £21 d) £14 and £16
4 a) 16 kg and 48 kg b) 8 kg and 56 kg
c) 20 kg and 44 kg d) 30 kg and 34 kg
5 a) 78 ml b) 42 mm c) £78
d) 340 g e) 540 m f) 75p
6 Justin — £560, Lee — £1440
7 335
8 80

Page 94 Exercise 4

1 40 years
2 1620 g
3 £375
4 No (she is 1 m tall)
5 52 gold bars

Page 95 Exercise 5

1 5 loaves
2 2 pints
3 a) 4 oz b) 12 oz c) 24 oz
4 5 hours
5 60 cupcakes
6 36 trees
7 1200 g or 1.2 kg
8 45 envelopes
9 375 g
10 5 coaches
11 15 days
12 10 peppers and 5 onions
13 800 minutes
14 No
15 Yes
16 Azalea
17 The right welly

6.3 Percentage Change Problems

Page 97 Exercise 1

1 £280
2 £72
3 39 penguins
4 £320
5 £105
6 520 visitors
7 £2.10
8 £13.60
9 £168
10 £252
11 £663
12 1202 pupils
13 £2.17
14 £525
15 £374

Page 99 Exercise 2

1 **a)** 25% **b)** 30% **c)** 20%
2 **a)** 30% **b)** 25% **c)** 50%
3 **a)** 13 **b)** 25%
4 **a)** 12p **b)** 15%
5 4%
6 45%
7 5%
8 12%
9 17%
10 22%
11 27%
12 56%
13 24%
14 **a)** 28% **b)** 55% **c)** 67.6%

Page 101 Exercise 3

1 **a)** £10 **b)** £15 **c)** £6
2 **a)** £30 **b)** £50 **c)** £65
3 £250
4 £31
5 £600
6 £12 000
7 £225 000
8 The blue dress

Page 103 Exercise 4

1 **a)** £16 **b)** £880 **c)** £960
2 **a)** £2060 **b)** £2160 **c)** £2240
3 £3812.50
4 **a)** Emilia **b)** £325

Section 7 — Units and Scales

7.1 Changing Units

Page 104 Exercise 1

1 **a)** 120 minutes **b)** 360 minutes **c)** 210 minutes
d) 15 minutes **e)** 270 minutes **f)** 325 minutes
2 **a)** 300 seconds **b)** 480 seconds **c)** 900 seconds
d) 150 seconds **e)** 195 seconds **f)** 250 seconds
3 **a)** 4.5 hours **b)** 1.75 hours **c)** 3.2 hours
4 **a)** 3 hours **b)** 2 hours 30 minutes
c) 3 hours 45 minutes **d)** 4 hours 7 minutes
5 **a)** 6 minutes **b)** 1 minute 30 seconds
c) 2 minutes 16 seconds **d)** 3 minutes 19 seconds
6 195 seconds
7 **a)** 90 minutes **b)** 5400 seconds
8 **a)** 1440 minutes **b)** 86 400 seconds
9 Two and a quarter hours = 135 minutes, so Leo does not have enough time to watch the film.

Page 106 Exercise 2

1 **a) i)** 100 **ii)** multiply
b) i) 1000 **ii)** divide
c) i) 1000 **ii)** divide
d) i) 1000 **ii)** multiply
e) i) 1000 **ii)** multiply
f) i) 10 **ii)** divide
2 **a)** 60 mm **b)** 4000 ml **c)** 6000 g
d) 3000 m **e)** 7000 kg **f)** 48 ml
g) 26 mm **h)** 5100 cm^3 **i)** 9600 m
j) 3150 kg **k)** 225 cm **l)** 5260 g
3 **a)** 3 cm **b)** 5 kg **c)** 8 litres
d) 4 tonnes **e)** 2 km **f)** 100 cm^3
g) 3.4 kg **h)** 6.3 cm **i)** 2.8 tonnes
j) 9.43 litres **k)** 3.75 m **l)** 2.67 km
4 **a)** 128 mm **b)** 2.15 litres **c)** 4.4 km
d) 1740 kg **e)** 4.95 m **f)** 8.7 kg
g) 4150 cm^3 **h)** 689 cm **i)** 7650 m
5 4.2 cm
6 0.8 litres
7 **a)** 275 cm **b)** 11 lengths
8 **a)** 6000 m **b)** 600 000 cm
9 **a)** 400 mm^2 **b)** 5 000 000 m^2 **c)** 0.16 m^2
10 **a)** 4000 mm **b)** 2 000 000 g **c)** 2.5 km
11 4 pots

Page 108 Exercise 3

1 **a) i)** 3 **ii)** divide
b) i) 16 **ii)** multiply
c) i) 8 **ii)** divide
d) i) 12 **ii)** multiply
e) i) 14 **ii)** divide
f) i) 12 **ii)** divide
2 **a)** 48 inches **b)** 42 pounds **c)** 40 pints
d) 32 ounces **e)** 36 feet **f)** 7 pounds

3 a) 3 feet b) 10 gallons c) 2 stone
d) 7 yards e) 2.5 pounds f) 3.75 gallons
4 a) 9 yards b) 56 ounces
c) 15 gallons d) 10 pounds
5 a) 1 foot 6 inches b) 7 stone 6 pounds
6 4 feet 8 inches
7 80 glasses

Page 110 Exercise 4

1 a) 1 inch b) 1 kg c) 1 litre
2 a) 25 cm b) 2700 g c) 12 800 g
d) 1350 cm e) 84 g f) 18 litres
g) 450 cm h) 12.8 km i) 3.99 litres
3 a) 4 yards b) 10 stone c) 16 gallons
d) 200 pints e) 7 feet f) 3 pounds
g) 30 inches h) 17.6 pounds i) 6.5 ounces
4 a) 150 cm b) 1.5 m
5 40 times
6 5 feet 10 inches

7.2 Compound Measures — Speed

Page 111 Exercise 1

1 a) 5 km/h b) 4 km/h c) 5 km/h
d) 30 km/h e) 20 km/h f) 500 km/h
2 60 mph
3 5 m/s
4 500 mph
5 a) 8 km/h b) 35 mph c) 6.25 m/s
d) 9.6 km/h e) 5 m/s f) 0.025 m/s
6 a) 0.25 hours b) 17 000 mph
7 a) 70 mph b) 36 km/h
c) 4.4 km/h d) 500 mph
8 a) 72 km/h b) 12 km/h c) 8 km/h
d) 2 km/h e) 4.8 km/h
9 16 km/h

Page 113 Exercise 2

1 a) 200 km b) 180 miles
c) 100 m d) 30 km
2 33 km
3 20 m
4 a) 5 hours b) 4 hours
c) 4.5 seconds d) 0.5 hours
5 1.6 hours (or 1 hour 36 minutes)
6 3.5 km
7 3.15 pm
8 Charlie
9 9 minutes
10 30 minutes

7.3 Scale Drawings

Page 115 Exercise 1

1 a) i) 100 km ii) 160 km iii) 400 km
iv) 10 km v) 150 km vi) 105 km
b) i) 2 cm ii) 6 cm iii) 10 cm
iv) 2.5 cm v) 5.5 cm vi) 3.75 cm
2 a) 3 cm b) 6 cm c) 9.7 cm d) 5.6 cm
3 a) 5 cm b) 2.25 km
4 a) 15 m b) 25 m c) 40 m
d) 32.5 m e) 11.25 m f) 48.75 m
5 a) i) 10 m ii) 25 m iii) 30 m
iv) 6.25 m v) 15.5 m vi) 21 m
b) i) 8 cm ii) 20 cm iii) 4.8 cm
iv) 1 cm v) 3 cm vi) 0.9 cm
6 4 cm
7 a) 1.25 km b) 2.8 km c) 4.85 km
8 E.g. 1 : 25 000, 10 cm on the plan

Page 117 Exercise 2

1 a) 3 cm b) 10 cm c) 3.5 cm d) 2.75 cm
2 a) 3 m b) 5 m c) 3.5 m d) 0.75 m
3 a) a = 1 m, b = 1.5 m, c = 2 m
b) a = 2.5 m, b = 1 m, c = 1.5 m
4 50 m
5 a) 2 cm b) 4 cm c) 1.2 cm d) 3 cm
6 a) Scale drawing should have measurements:

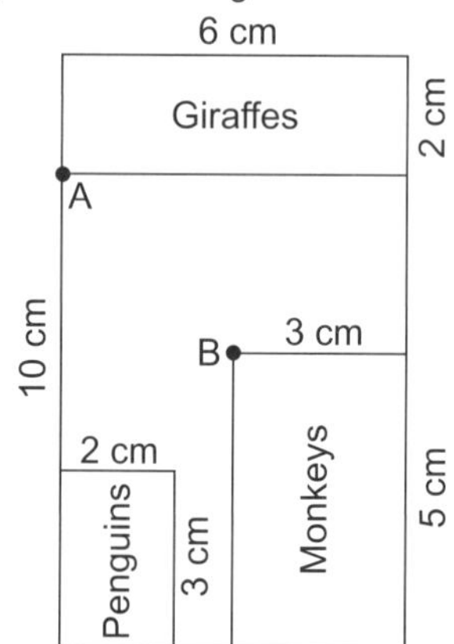

b) Approximately 21.2 m
7 Scale drawing should have measurements:

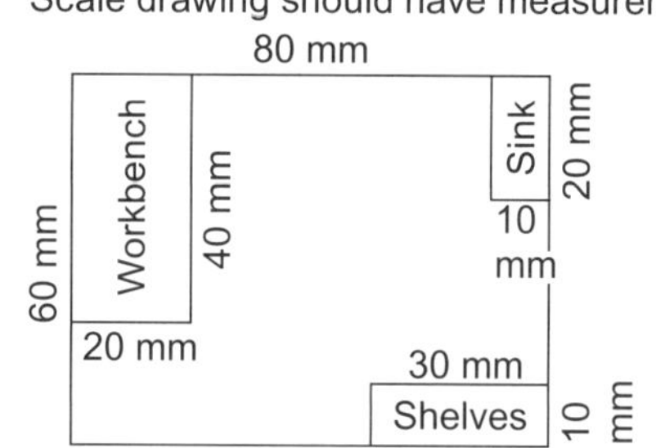

Section 8 — Algebraic Expressions

8.1 Expressions

Page 119 Exercise 1

1 **a)** 3 **b)** 2 **c)** 3 **d)** 3 **e)** 1 **f)** 2 **g)** 3 **h)** 2 **i)** 2 **j)** 2 **k)** 2 **l)** 3

2 **a)** $+m, +9, +n$ **b)** $+a, -bc, +d^2$ **c)** $+11r, -2, +t$ **d)** $-p, -q, +7$ **e)** $+ab, +cd$ **f)** $+y, +7, -yz$ **g)** xyz **h)** $+q, -rs, +4, +t$ **i)** $+f^2, +g^2h$ **j)** $-v^2, -v, +2$ **k)** $+8, -c^3, -c^2$ **l)** $+1, -xyz, +z^3, -y$

3 **b)** b^3c **c)** $\frac{9u}{p}$ **d)** $3 + \frac{m}{n}$

4 **a)** $4a$ **b)** xy **c)** a^2 **d)** $2cd$ **e)** $\frac{f}{3}$ **f)** m^3 **g)** $8c^2$ **h)** fpq **i)** kp^2 **j)** $\frac{g}{k}$ **k)** $4u$ **l)** $p + l^2$ **m)** $\frac{k}{6p}$ **n)** $3t$ **o)** r^2s^2 **p)** $\frac{ru}{q}$ or $\frac{r}{q}u$

8.2 Simplifying Expressions

Page 121 Exercise 1

1 **a)** $3x + 4y$ **b)** $3a + 8b$ **c)** $6m + 5n$ **d)** $3p + q$ **e)** $9f - 7g$ **f)** $2a + 6c$ **g)** $x - 6y$ **h)** $6p - 5q$ **i)** $4f + 4g$ **j)** $8s + 2t$ **k)** $6x + y$ **l)** $15m + 3n$ **m)** $4d - 5e$ **n)** $8p - 14q$ **o)** $-12i - 3j$

2 **a)** $12f + 13$ **b)** $17x + 12$ **c)** $3y - 5$ **d)** $3s - 6$ **e)** $7f + 10$ **f)** $5a + 11$ **g)** $5x + 7$ **h)** $9q - 1$ **i)** $5g - 7$ **j)** $y + 7$ **k)** $4s + 22$ **l)** $2h - 15$

3 **a)** $11y - 3x$ **b)** $14c + 7d$ **c)** $16r + 6s$ **d)** $-3g - 3j$ **e)** $16w - 16u$ **f)** $3y - 4z$ **g)** $v - 13w$ **h)** $13g - 6h$

4 **a)** $9y + 7x + 17$ **b)** $17a + 5c - 6$ **c)** $15s - 11r + 9$ **d)** $4s + 20t - 7$ **e)** $20a - 2b + 5$ **f)** $14m - 13p + 11$ **g)** $3z - y + 5$ **h)** $10 - 2b - 4c$ **i)** $11p - 11q + 19$ **j)** $16g - 2h - 19$

5 **a)** $2x^2 + 14$ **b)** $a^2 + 6$ **c)** $5c^2 + 2$ **d)** $3f^3 + 18$ **e)** $-2n^2 - 7$ **f)** $12k^3 + 9$ **g)** $13z^2 + 7$ **h)** $14b^3 - 1$ **i)** $c^2 + 21$ **j)** $2g^2 + 15$ **k)** $10w^2 + 13$ **l)** $15u^3 - 16$

6 **a)** $6y^2 + 6y + 6$ **b)** $6g^2 + g + 12$ **c)** $10v^2 + 4v + 5$ **d)** $17d^2 + 6d - 4$ **e)** $3p^3 + 17p^2 - 1$ **f)** $10a^3 + 7a^2 + 11$ **g)** $y^2 - 4y - 14$ **h)** $16h^3 + 3h - 3$

7 **a)** $10wv - 6w$ **b)** $10g^4 - 11gh$ **c)** $2xy + y + 12x$ **d)** $8b^3 + 3ab + a$ **e)** $5pq + 2p + 9q$ **f)** $3f^2 + 14fg$

8 **a)** $10xy - x$ **b)** $16ab - 4a$ **c)** $5p^2 + 4pq$ **d)** $r^2 - t^2 + 15rt$ **e)** $z^2 + 12yz$ **f)** $3mn + 13m$ **g)** $6gh + 4g + 7h$ **h)** $4k^2 - 3j^2 + 11jk$ **i)** $7uv - uv^2 + 3u$

8.3 Expressions with Brackets

Page 123 Exercise 1

1 **a)** $3a + 12$ **b)** $2b + 2$ **c)** $4p + 24$ **d)** $25 + 5y$ **e)** $6h - 18$ **f)** $8q - 16$ **g)** $2t + 22$ **h)** $9b - 63$ **i)** $6k + 42$ **j)** $27 + 9p$ **k)** $36 + 4g$ **l)** $10 - 2y$

2 **a)** $-8d - 24$ **b)** $-5x - 20$ **c)** $-44 + 11r$ **d)** $-108 + 12r$ **e)** $-4r - 32$ **f)** $-55 - 11q$ **g)** $-3t + 36$ **h)** $-14 - 7x$ **i)** $-11a + 66$ **j)** $-72 - 9p$ **k)** $-64 - 8s$ **l)** $-77 + 7y$

3 **a)** $2s + 2b - 16$ **b)** $5a + 20 + 5c$ **c)** $5p + 5q + 35$ **d)** $12 + 6x - 6y$ **e)** $9t - 27 + 9p$ **f)** $6h - 6k + 30$ **g)** $11t + 121 - 11r$ **h)** $9b - 108 - 9f$

4 **a)** $-7a - 56 + 7d$ **b)** $-4b - 8 - 4c$ **c)** $-5p - 35 - 5f$ **d)** $-8r - 40 + 8y$ **e)** $-2c + 2b - 10$ **f)** $-6q + 6v - 42$ **g)** $-11s - 132 + 11q$ **h)** $-6b + 60 + 6f$

Page 124 Exercise 2

1 **a)** $c^2 + 2c$ **b)** $5m + m^2$ **c)** $11q + q^2$ **d)** $r^2 - 5r$ **e)** $v^2 + 7v$ **f)** $y^2 - 5y$ **g)** $k^2 - 10k$ **h)** $8b + b^2$

2 **a)** $-d^2 - 7d$ **b)** $-b^2 - 9b$ **c)** $-5v - v^2$ **d)** $-x^2 + 9x$ **e)** $-y^2 + 12y$ **f)** $-z^2 - 5z$ **g)** $-11r + r^2$ **h)** $-p^2 - 8p$ **i)** $-q^2 + 10q$ **j)** $-j^2 - 6j$ **k)** $-8k + k^2$ **l)** $5l + l^2$

3 **a)** $3a^2 + 9a$ **b)** $2v^2 + 10v$ **c)** $20r - 4r^2$ **d)** $11x^2 + 121x$ **e)** $5h^2 - 15h$ **f)** $8q^2 - 56q$ **g)** $6t^2 - 72t$ **h)** $9y^2 - 72y$ **i)** $77b + 11b^2$ **j)** $48w - 4w^2$ **k)** $96z + 12z^2$ **l)** $63q - 7q^2$

4 **a)** $7f^2 + 14f + 7fg$ **b)** $4h^2 + 4h + 4hj$ **c)** $9kl + 9k^2 - 54k$ **d)** $40r + 5r^2 - 5rs$ **e)** $66d + 6dg - 6d^2$ **f)** $8n^2 - 8mn - 72n$ **g)** $24j + 2j^2 - 2jk$ **h)** $9ab - 9a^2 - 108a$ **i)** $30p + 5p^2 + 5pq$ **j)** $36s - 3st - 3s^2$ **k)** $132b + 12b^2 + 12bc$ **l)** $3a^2 - 3ab + 30a$

5 a) $-2f^2 - 4f - 2fg$ b) $-5bc - 5c^2 + 10c$
c) $-4r^2 + 4rs - 8r$ d) $-7bc + 28b - 7b^2$
e) $-5j^2 - 30j - 5jk$ f) $-15n + 3n^2 + 3mn$
g) $-6y^2 + 60y - 6yz$ h) $-11vw - 11v^2 - 99v$
i) $-8hj + 8h^2 - 72h$ j) $-2cd - 2c^2 + 20c$
k) $-22r + 2r^2 + 2rs$ l) $-60x - 12xy + 12x^2$

Page 125 Exercise 3

1 a) 9 b) a, 3 c) $9(a + 3)$
2 a) 4 b) $3b$, 4 c) $4(3b - 4)$
3 a) 3 b) $3(5 - 8x)$
4 a) $9(1 + 2a)$ b) $4(3 + b)$ c) $5(1 - 5c)$
d) $4(2x + 5)$ e) $3(2d - 11)$ f) $12(x + 5)$
g) $14(y + 3)$ h) $5(7 + 3v)$ i) $4(2c - 13)$
j) $4(4p - 3)$ k) $7(7 - 2x)$ l) $6(3x + 11)$
5 a) a b) u c) h
d) $3j$ e) $4b$ f) $3h$
g) $3s$ h) $3r$
6 a) $4x$ b) $4x(4 + 5x)$
7 a) $a(14 + 3a)$ b) $v(15v + 4)$ c) $c(7 + 12c)$
d) $f(16 - 5f)$ e) $2d(d^2 + 4)$ f) $7q(1 + 2q)$
g) $3y(2y + 3)$ h) $5r(3 - 2r^2)$ i) $2c(3 - 16c^2)$
j) $2p(8 - 3p)$ k) $6y(3 + 2y)$ l) $4x(5x - 8)$
8 a) $4xy$ b) $4xy(3x + 5)$
9 a) $xy(2 - y)$ b) $a(8b - 3)$ c) $4pq(p - 3)$
d) $5u^2(3s + 5)$ e) $7df(3 - df)$ f) $3v(v + 10y)$
g) $5r(w - 2)$ h) $4y(2xy + 4x + 1)$
10 a) $3pq(2q + 5p)$ b) $3xy(3x - y)$ c) $7cd(3d + 5c)$
d) $6gh(2h - g)$

Page 127 Exercise 4

1 a) $b^2 + 3b + 2$ b) $a^2 + 6a + 9$
c) $x^2 + 5x + 4$ d) $y^2 + 7y + 10$
e) $c^2 + 14c + 45$ f) $a^2 + 8a + 12$
g) $r^2 + 11r + 24$ h) $z^2 + 18z + 77$
i) $d^2 + 12d + 32$ j) $p^2 + 16p + 48$
k) $q^2 + 18q + 81$ l) $t^2 + 17t + 66$
m) $j^2 + 16j + 63$ n) $g^2 + 16g + 48$
o) $y^2 + 18y + 80$
2 a) $a^2 + a - 30$ b) $u^2 - 4u - 21$
c) $j^2 - j - 42$ d) $g^2 - 7g - 44$
e) $f^2 - 4f - 12$ f) $n^2 + 8n - 33$
g) $k^2 - 2k - 63$ h) $b^2 + 7b - 60$
i) $v^2 + 8v - 9$ j) $s^2 - 8s - 33$
k) $h^2 + 5h - 84$ l) $q^2 - q - 90$
m) $q^2 + 7q - 44$ n) $g^2 - 4g - 60$
o) $q^2 - 4q - 96$
3 a) $r^2 - 14r + 45$ b) $x^2 - 11x + 24$
c) $h^2 - 11h + 28$ d) $f^2 - 8f + 15$
e) $w^2 - 8w + 7$ f) $c^2 - 13c + 30$
g) $n^2 - 9n + 14$ h) $a^2 - 13a + 36$
i) $r^2 - 16r + 55$ j) $y^2 - 16y + 48$
k) $b^2 - 15b + 56$ l) $x^2 - 16x + 60$
4 a) $p^2 + 7p + 6$ b) $x^2 + x - 42$
c) $j^2 + 4j - 12$ d) $g^2 + 10g + 25$
e) $x^2 - 5x - 36$ f) $z^2 - 3z - 10$
g) $-t^2 + 9t + 36$ h) $-s^2 + 14s - 40$
i) $d^2 - 5d - 24$ j) $q^2 - 4q - 12$
k) $a^2 + a - 56$ l) $v^2 + 3v + 2$
m) $-f^2 - 7f + 30$ n) $-h^2 - h + 20$
o) $-b^2 + 9b + 22$

Section 9 — Equations

9.1 Solving Equations

Page 130 Exercise 1

1 a) $x = 8$ b) $x = 18$ c) $x = 22$
d) $x = 12$ e) $x = 25$ f) $x = 27$
g) $x = 46$ h) $x = 50$ i) $x = 36$
j) $x = 15$ k) $x = 41$ l) $x = 8$
2 a) $a = 3$ b) $x = 6$ c) $l = 30$
d) $x = 8$ e) $m = 45$ f) $n = 2$
g) $y = 63$ h) $r = 88$ i) $q = 6$
j) $c = 7$ k) $z = 72$ l) $s = 80$
3 a) $a = 3$ b) $r = 15$ c) $b = 16$
d) $q = 12$ e) $c = 10$ f) $x = 27$
g) $d = 15$ h) $z = 21$ i) $f = 27$
j) $s = 23$ k) $p = 40$ l) $m = 26$
4 a) $x = 28$ b) $x = 31$ c) $x = 9$
d) $x = 12$ e) $x = 104$ f) $x = 75$
g) $x = 109$ h) $x = 23$ i) $x = 126$
j) $x = 75$ k) $x = 128$ l) $x = 39$
5 a) $r = 13$ b) $t = -7$ c) $x = -6$
d) $p = 14$ e) $s = -2$ f) $y = 17$
g) $u = -18$ h) $l = 62$
6 a) $x = \frac{1}{4}$ b) $x = \frac{1}{2}$ c) $x = \frac{2}{5}$
d) $x = \frac{3}{4}$ e) $x = \frac{2}{7}$ f) $x = \frac{9}{2}$

Page 132 Exercise 2

1 a) $a = 2$ b) $a = 3$ c) $a = 5$
d) $a = 2$ e) $a = 2$ f) $a = 3$
g) $a = 3$ h) $a = 7$ i) $a = 7$
j) $a = 5$ k) $a = 8$ l) $a = 5$
m) $a = 10$ n) $a = 5$ o) $a = 12$
p) $a = 11$
2 a) $x = 2$ b) $x = 3$ c) $x = 7$
d) $x = 4$ e) $x = 8$ f) $x = 5$
g) $x = 12$ h) $x = 3$ i) $x = 6$
j) $x = 9$ k) $x = 11$ l) $x = 13$

3 **a)** $p = 12$ **b)** $p = 5$ **c)** $p = 7$
d) $q = 3$ **e)** $q = 12$ **f)** $q = 9$
g) $q = 6$ **h)** $q = 6$ **i)** $p = 11$
j) $q = 3$ **k)** $q = 12$ **l)** $p = 11$
m) $p = 6$ **n)** $p = 9$ **o)** $q = 14$
p) $q = 12$

4 **a)** $n = 3$ **b)** $n = 5$ **c)** $n = 12$
d) $n = 8$ **e)** $n = 8$ **f)** $n = 10$
g) $n = 11$ **h)** $n = 13$ **i)** $n = 15$
j) $n = 4$ **k)** $n = 16$ **l)** $n = 11$

5 **a)** $a = 2$ **b)** $t = 2$ **c)** $u = 3$ **d)** $c = 1$
e) $b = 6$ **f)** $w = 11$ **g)** $y = 2$ **h)** $x = 5$
i) $q = 11$ **j)** $p = 15$ **k)** $z = 9$ **l)** $x = 12$

6 **a)** $y = \frac{1}{2}$ **b)** $y = \frac{1}{3}$ **c)** $y = \frac{3}{5}$
d) $y = \frac{2}{3}$ **e)** $y = \frac{3}{4}$ **f)** $y = \frac{7}{8}$
g) $y = \frac{1}{2}$ **h)** $y = \frac{1}{3}$ **i)** $y = \frac{4}{9}$
j) $y = \frac{1}{4}$ **k)** $y = \frac{1}{2}$ **l)** $y = \frac{2}{3}$

7 **a)** $x = 4$ **b)** $x = 2$ **c)** $x = -4$
d) $x = -4$ **e)** $x = 8$ **f)** $x = -5$
g) $x = -7$ **h)** $x = -6$ **i)** $x = 12$
j) $x = 11$ **k)** $x = -13$ **l)** $x = 8$

8 **a)** $x = 2$ **b)** $x = -12$ **c)** $x = 5$
d) $x = -4$ **e)** $x = 3$ **f)** $x = -2$
g) $x = -3$ **h)** $x = -8$ **i)** $x = 12$

Section 10 — Formulas

10.1 Writing Formulas

Page 134 Exercise 1

1 $m = 7 + n$ or $m = n + 7$
2 **a)** $P = 4 + 2x$ **b)** $P = 2x + 2y$
3 $A = x \times x$ or $A = x^2$
4 $C = 8m$
5 $C = 6h$
6 $T = 5m$
7 $P = 11w$
8 $N = h + 4$
9 $N = 5.5 + k$
10 $C = 15b + 36$
11 $C = 250 + 40d$
12 $P = 12.5h - 5$

10.2 Substituting into a Formula

Page 136 Exercise 1

1 9
2 **a)** 6 **b)** 4 **c)** 1 **d)** –3
3 **a)** 11 **b)** 4 **c)** 14 **d)** 2 **e)** –2
4 **a)** 15 **b)** 35 **c)** 100 **d)** 500
5 **a)** 2 **b)** 4 **c)** 5 **d)** 10
6 **a)** 27 **b)** 81 **c)** 3 **d)** $\frac{1}{3}$
7 **a)** 48 **b)** 72 **c)** 240 **d)** 300
8 **a)** 17 **b)** 8 **c)** –17 **d)** 33
9 **a)** 20 **b)** 17
10 **a)** 3 **b)** 18 **c)** 6 **d)** 27
11 **a)** £49 **b)** £52 **c)** £80 **d)** £140
12 **a)** 215p **b)** 315p **c)** 455p **d)** 1095p
13 £17

Page 138 Exercise 2

1 48 cm
2 88 m^2
3 18 miles
4 90 cm^2
5 **a)** 24 **b)** 52 **c)** 108
d) 5 **e)** 12.5 **f)** 5.25
6 **a)** 36 m^2 **b)** 75 m^2
7 **a)** 11 **b)** 39 **c)** 41.5
d) 42 **e)** 15 **f)** 28.5
8 **a)** 45 °C **b)** 35 °C **c)** 60 °C
9 **a)** 39 **b)** 30 **c)** 48
d) 115 **e)** 23 **f)** 25.5

10.3 Rearranging Formulas

Page 140 Exercise 1

1 **a)** $s = r - 4$ **b)** $s = p + 8$ **c)** $s = h - 12$
d) $s = d - 6.4$ **e)** $s = t + 2.7$ **f)** $s = j - 28$
2 time = distance ÷ speed
3 force = pressure × area
4 **a)** $x = f - r$ **b)** $x = 9t - 16r$ **c)** $x = 15g - 18h$
5 **a)** $y = \frac{a}{7}$ **b)** $y = \frac{b}{15}$ **c)** $y = \frac{c}{6.7}$
d) $y = \frac{d}{1.5}$ **e)** $y = \frac{e}{8}$ **f)** $y = \frac{f}{4.9}$
6 acceleration = force ÷ mass
7 time = distance ÷ speed
8 **a)** $x = 7p$ **b)** $x = 11q$ **c)** $x = 1.3r$
d) $x = 10s$ **e)** $x = 7.5t$ **f)** $x = 13.8u$
9 **a)** $b = \frac{s}{t}$ **b)** $b = \frac{xyz}{3}$ **c)** $b = \frac{ef + g}{2}$
d) $b = \frac{3j}{k}$ **e)** $b = \frac{rst}{5}$ **f)** $b = \frac{3c + 2}{5}$
10 **a)** $b = \frac{A}{h}$ **b)** 7 cm
11 **a)** $x = \frac{b - 7}{2}$ **b)** $x = \frac{c + 1}{5}$ **c)** $x = \frac{y - 14}{3}$
d) $x = \frac{p - 3}{5}$ **e)** $x = \frac{f - 2}{7}$ **f)** $x = \frac{h + 6}{1.5}$
12 **a)** $a = \frac{v - u}{t}$ **b)** 5 **c)** 4 **d)** 4
13 15 cm

Section 11 — Sequences

11.1 Generating Terms

Page 142 Exercise 1

1 **a)** 9, 13, 17, 21, 25 **b)** 37, 34, 31, 28, 25
c) 6, 60, 600, 6000, 60 000 **d)** 160, 80, 40, 20, 10
e) 10, 26, 42, 58, 74 **f)** 7, 14, 28, 56, 112

2 **a)** 154, 140, 126, 112, 98
b) 200, 186, 172, 158, 144
c) 68, 54, 40, 26, 12
d) 133, 119, 105, 91, 77
e) 16, 2, –12, –26, –40

3 **a) i)** Add 6 each time **ii)** 22, 28
b) i) Add 12 each time **ii)** 47, 59
c) i) Multiply by 3 each time **ii)** 81, 243
d) i) Subtract 9 each time **ii)** 26, 17
e) i) Divide by 2 each time **ii)** 10, 5
f) i) Subtract 6 each time **ii)** 6, 0
g) i) Multiply by 2 each time **ii)** 32, 64
h) i) Multiply by 4 each time **ii)** 64, 256
i) i) Add 17 each time **ii)** 63, 80
j) i) Subtract 26 each time **ii)** 49, 23
k) i) Multiply by 10 each time **ii)** 10 000, 100 000
l) i) Add 21 each time **ii)** 123, 144

4 **a) i)**

ii) Add one each time. **iii)** 10

b) i)

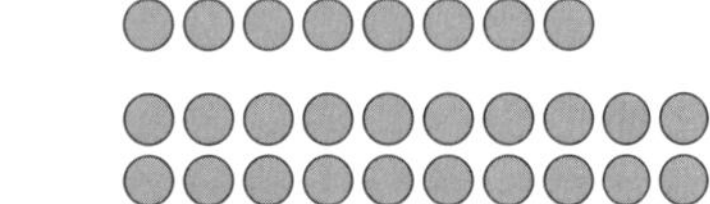

ii) Add four each time. **iii)** 32

c) i)

ii) Add three each time. **iii)** 22

d) i)

ii) Add five each time. **iii)** 39

5 **a)** 13 **b)** 12
c) 16 **d)** 21

6 **a)** 8, 11, 17, 29, 53 **b)** 52, 28, 16, 10, 7
c) 5, 8, 20, 68, 260 **d)** 166, 78, 34, 12, 1
e) 171, 63, 27, 15, 11

7 **a)** Add 2 then multiply by 3
b) Divide by 2 then multiply by 3
c) Add 3 then multiply by 4
d) Multiply by 10 then add 5
e) Subtract 1 then multiply by 3

8 **a) i)** Add 2 more each time, starting with adding 2.
ii) 31, 43, 57
b) i) Add 1 more each time, starting with adding 1.
ii) 19, 25, 32
c) i) Add 2 more each time, starting with adding 3.
ii) 39, 52, 67
d) i) Add 3 more each time, starting with adding 3.
ii) 56, 74, 95
e) i) Add 5 more each time, starting with adding 10.
ii) 105, 140, 180
f) i) Add 2 more each time, starting with adding 4.
ii) 46, 60, 76

Page 145 Exercise 2

1 **a)** 11 **b)** 13 **c)** 17 **d)** 29
2 **a)** 3 **b)** 18 **c)** 43 **d)** 53
3 **a)** 22 **b)** 14 **c)** 10 **d)** –2

4 **a)** 7, 8, 9, 10, 11 **b)** 6, 9, 12, 15, 18
c) 2, 6, 10, 14, 18 **d)** 9, 16, 23, 30, 37
e) 12, 21, 30, 39, 48 **f)** 13, 18, 23, 28, 33
g) 3, 9, 15, 21, 27 **h)** 22, 21, 20, 19, 18
i) 7, 15, 23, 31, 39 **j)** 47, 43, 39, 35, 31
k) 23, 21, 19, 17, 15 **l)** 19, 26, 33, 40, 47

5 **a) i)** 82 **ii)** 126 **iii)** 170
b) i) 276 **ii)** 260 **iii)** 244
c) i) 1 **ii)** –7 **iii)** –15
d) i) 100 **ii)** 148 **iii)** 196
e) i) 30 **ii)** 50 **iii)** 70
f) i) 134 **ii)** 106 **iii)** 78
g) i) 773 **ii)** 749 **iii)** 725
h) i) 14 **ii)** 30 **iii)** 46

6 **a)**

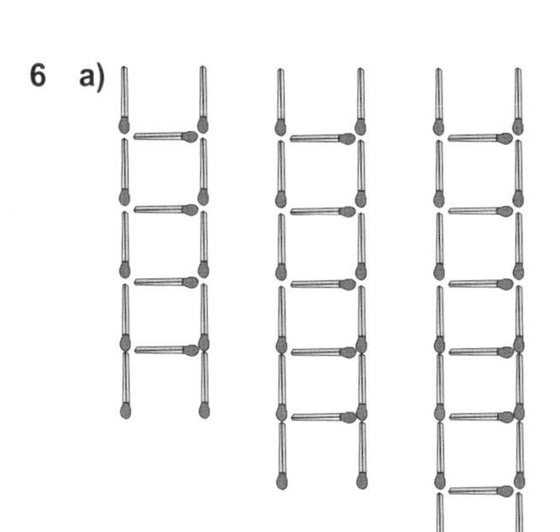

14 matchsticks, 17 matchsticks, 20 matchsticks

b)

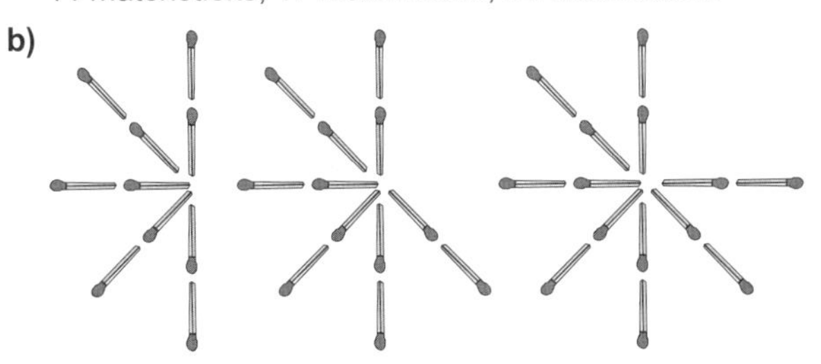

10 matchsticks, 12 matchsticks, 14 matchsticks

c)

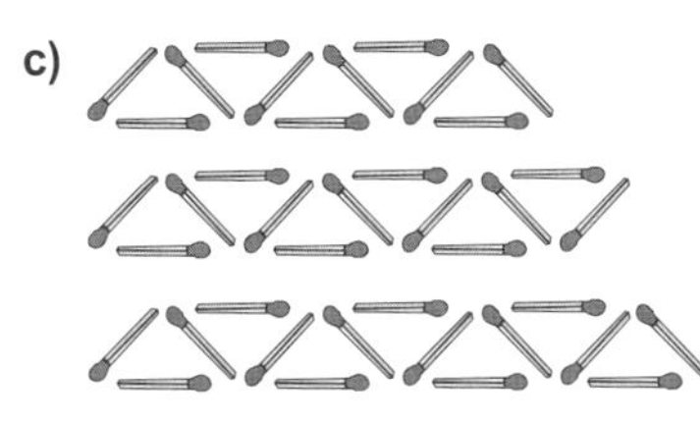

11 matchsticks, 13 matchsticks, 15 matchsticks

d)

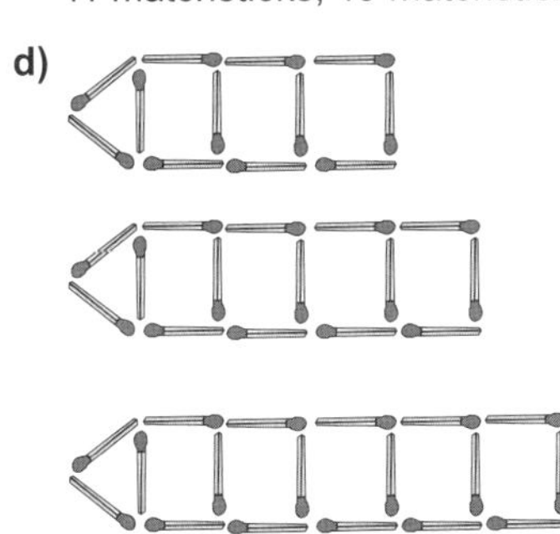

12 matchsticks, 15 matchsticks, 18 matchsticks

Page 146 Exercise 3

1 **a)** 3rd **b)** 6th
c) 10th **d)** 12th

2 **a)** 5th **b)** 8th
c) 2nd **d)** 12th

3 **a)** 9th **b)** 6th **c)** 7th

4 **a)** 6th **b)** 8th

11.2 Finding the Rule for the nth Term

Page 148 Exercise 1

1 **a)** +2 **b)** 2, 4, 6, 8
c) +5 **d)** $2n + 5$
E.g. When $n = 2$, $(2 \times 2) + 5 = 9$

2 **a)** +6 **b)** 6, 12, 18, 24
c) –1 **d)** $6n - 1$
E.g. When $n = 2$, $(6 \times 2) - 1 = 11$

3 **a)** $4n + 7$ **b)** $3n + 5$ **c)** $9n + 1$
d) $4n - 1$ **e)** $7n + 7$ **f)** $10n + 22$
g) $6n - 2$ **h)** $9n - 3$ **i)** $5n + 12$

4 **a)** –3 **b)** –3, –6, –9, –12
c) +24 **d)** $-3n + 24$ or $24 - 3n$
E.g. When $n = 2$, $24 - (3 \times 2) = 18$

5 **a)** $-5n + 25$ or $25 - 5n$ **b)** $-2n + 16$ or $16 - 2n$
c) $-n + 9$ or $9 - n$ **d)** $-3n + 26$ or $26 - 3n$
e) $-4n + 29$ or $29 - 4n$ **f)** $-10n + 51$ or $51 - 10n$
g) $-9n + 51$ or $51 - 9n$ **h)** $-6n + 35$ or $35 - 6n$
i) $-6n + 39$ or $39 - 6n$

6 **a) i)** $2n - 1$ **ii)** 15
b) i) $3n + 8$ **ii)** 32
c) i) $2n + 16$ **ii)** 32
d) i) $5n + 36$ **ii)** 76
e) i) $7n - 2$ **ii)** 54
f) i) $9n - 6$ **ii)** 66

7 **a) i)** $-n + 12$ or $12 - n$ **ii)** 6
b) i) $-4n + 43$ or $43 - 4n$ **ii)** 19
c) i) $-2n + 30$ or $30 - 2n$ **ii)** 18
d) i) $-9n + 49$ or $49 - 9n$ **ii)** –5
e) i) $-6n + 38$ or $38 - 6n$ **ii)** 2
f) i) $-7n + 52$ or $52 - 7n$ **ii)** 10

8 **a)** $5n + 1$ **b)** $4n$
c) $-6n + 28$ or $28 - 6n$ **d)** $-n + 7$ or $7 - n$

9 **a) i)** $3n + 1$
ii)

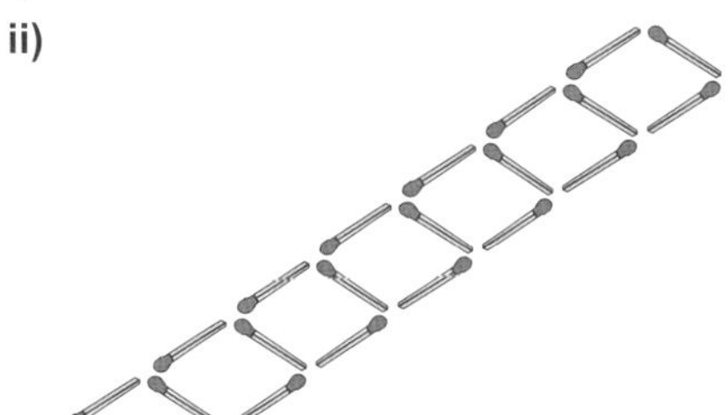

b) i) $4n + 6$
ii)

10 a) i) $2n + 3$

ii)

b) i) $5n + 1$

ii)

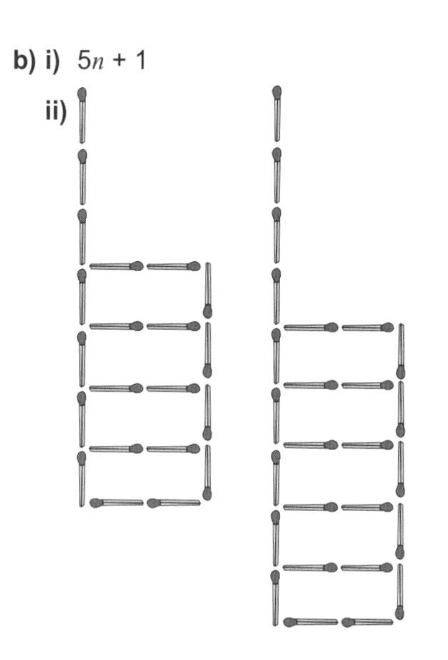

c) i) $12n - 8$

ii)

Section 12 — Graphs and Equations

12.1 Coordinates

Page 151 Exercise 1

1 A (–3, –4) B (–2, –3) C (2, –1)
D (0, 1) E (4, –3) F (–2, 1)
G (3, 2) H (–4, 2)

2 a)

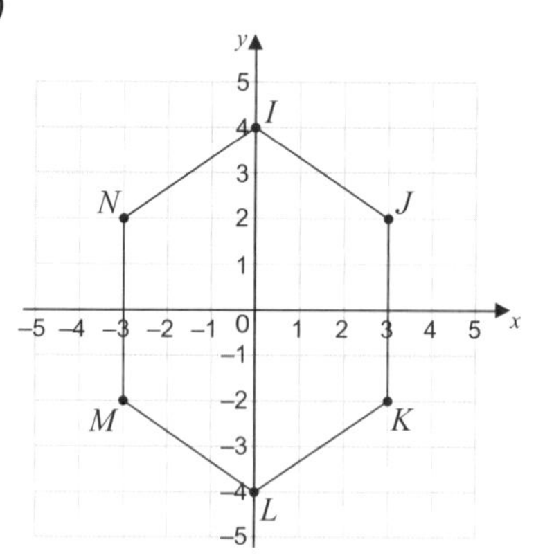

b) Hexagon

12.2 Plotting Graphs

Page 152 Exercise 1

1 a)

x	0	1	2	3	4	5
y	4	5	6	7	8	9
Coords	(0, 4)	(1, 5)	(2, 6)	(3, 7)	(4, 8)	(5, 9)

b) and **c)**

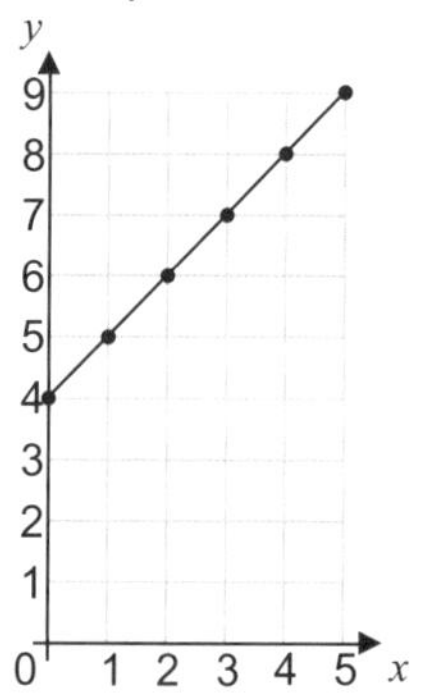

2 a)

x	0	1	2	3	4	5
y	–5	–4	–3	–2	–1	0
Coords	(0, –5)	(1, –4)	(2, –3)	(3, –2)	(4, –1)	(5, 0)

b) and **c)**

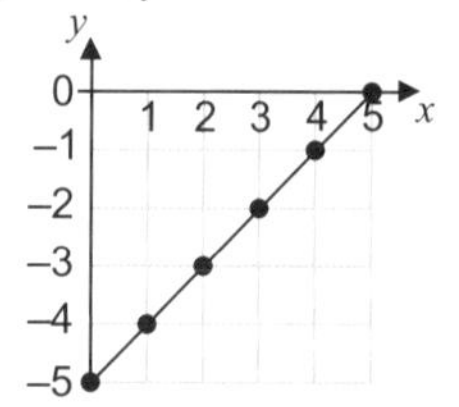

3 a)

x	–2	–1	0	1	2
y	–6	–3	0	3	6
Coords	(–2, –6)	(–1, –3)	(0, 0)	(1, 3)	(2, 6)

b) and **c)**

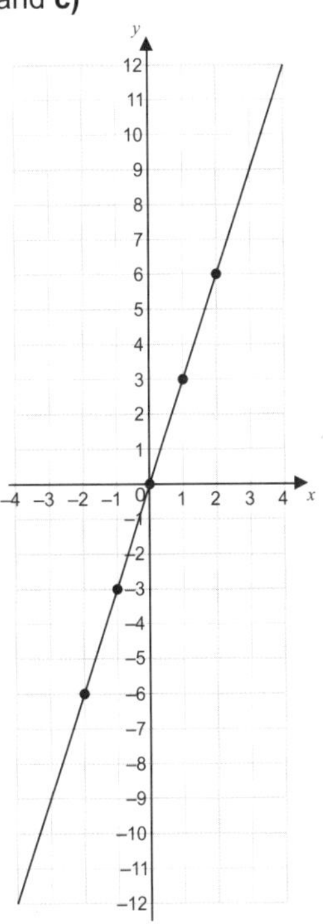

4 a) i)

x	–1	0	1	2
y	1	2	3	4
Coords	(–1, 1)	(0, 2)	(1, 3)	(2, 4)

ii)

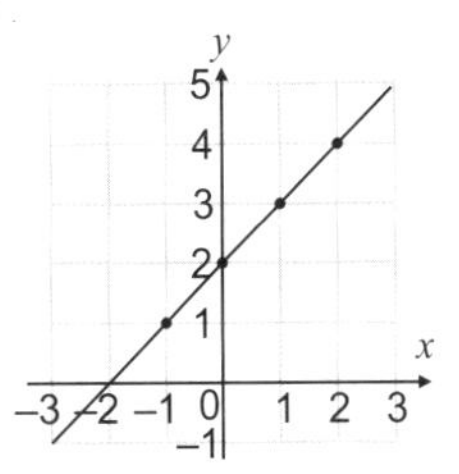

b) i)

x	–1	0	1	2
y	5	6	7	8
Coords	(–1, 5)	(0, 6)	(1, 7)	(2, 8)

ii)

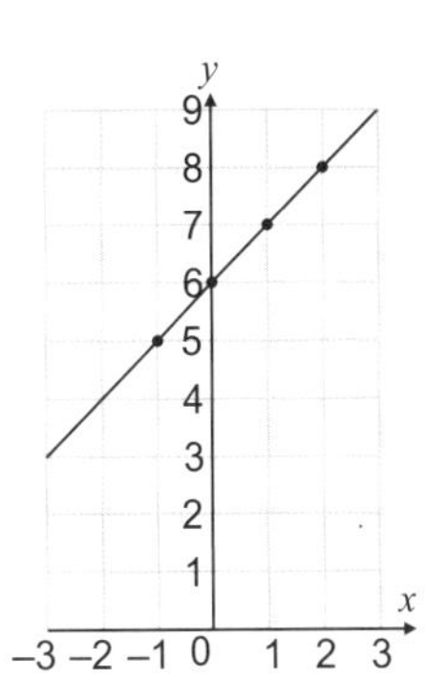

c) i)

x	–1	0	1	2
y	–5	–4	–3	–2
Coords	(–1, –5)	(0, –4)	(1, –3)	(2, –2)

ii)

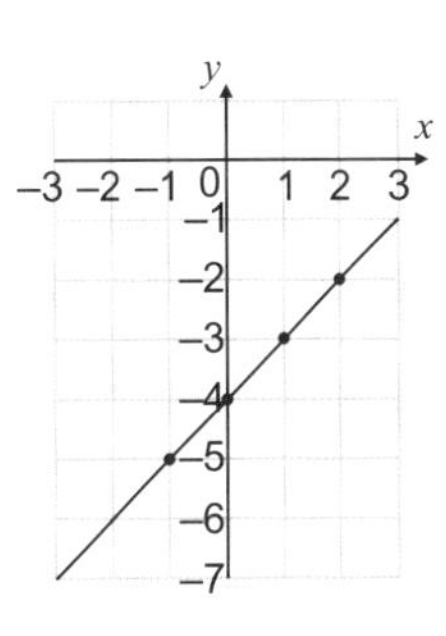

d) i)

x	–1	0	1	2
y	–3	–2	–1	0
Coords	(–1, –3)	(0, –2)	(1, –1)	(2, 0)

ii)

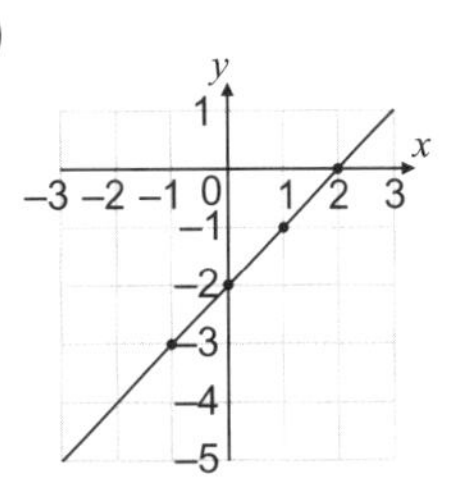

e) i)

x	–1	0	1	2
y	–2	0	2	4
Coords	(–1, –2)	(0, 0)	(1, 2)	(2, 4)

ii)

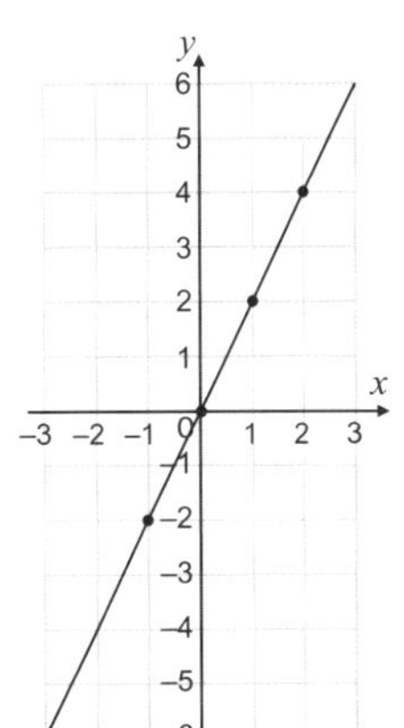

f) i)

x	–1	0	1	2
y	3	2	1	0
Coords	(–1, 3)	(0, 2)	(1, 1)	(2, 0)

ii)

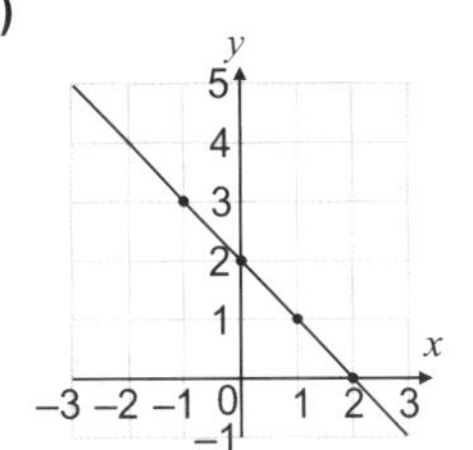

g) i)

x	–1	0	1	2
y	9	10	11	12
Coords	(–1, 9)	(0, 10)	(1, 11)	(2, 12)

ii)

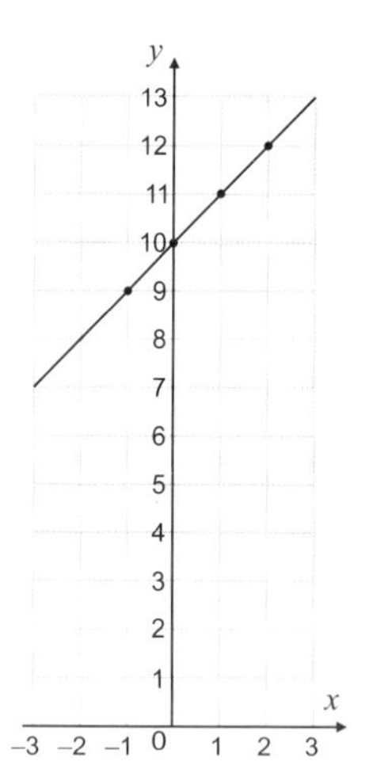

h) i)

x	–1	0	1	2
y	–7	–6	–5	–4
Coords	(–1, –7)	(0, –6)	(1, –5)	(2, –4)

ii)

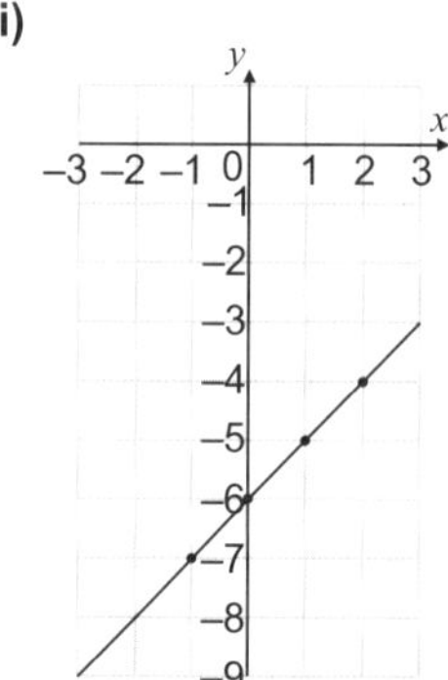

i) i)

x	–1	0	1	2
y	8	9	10	11
Coords	(–1, 8)	(0, 9)	(1, 10)	(2, 11)

ii)

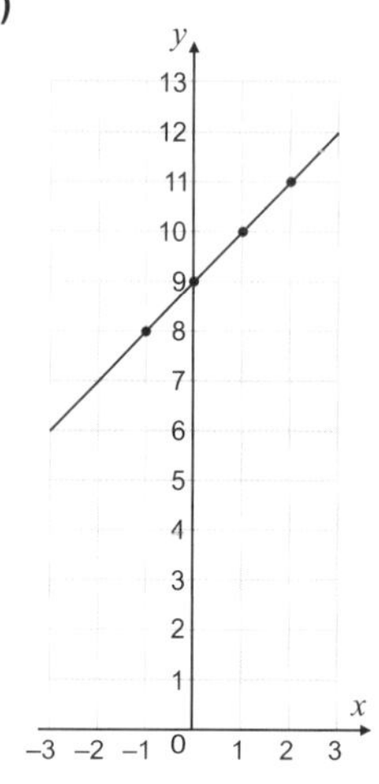

j) i)

x	–1	0	1	2
y	5	4	3	2
Coords	(–1, 5)	(0, 4)	(1, 3)	(2, 2)

ii)

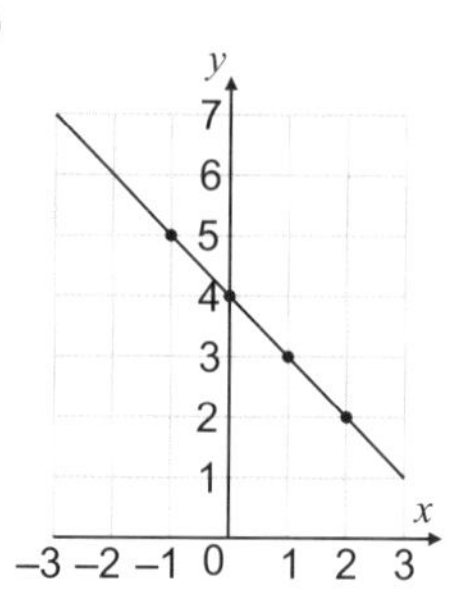

k) i)

x	–1	0	1	2
y	3	0	–3	–6
Coords	(–1, 3)	(0, 0)	(1, –3)	(2, –6)

ii)

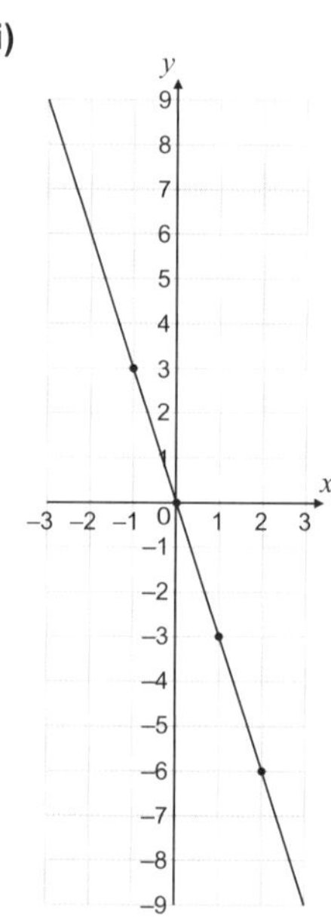

l) i)

x	–1	0	1	2
y	2	0	–2	–4
Coords	(–1, 2)	(0, 0)	(1, –2)	(2, –4)

ii)

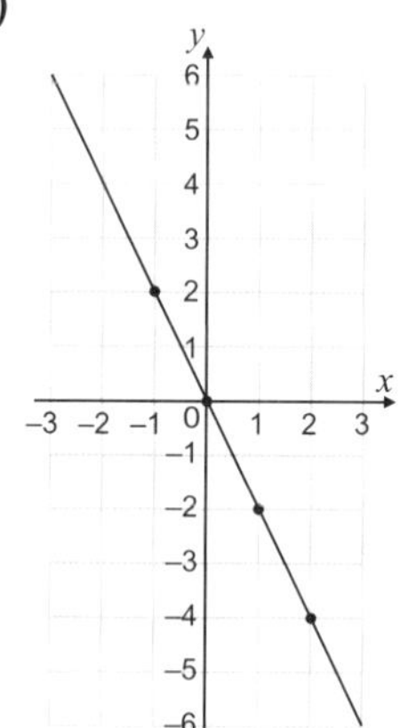

5 a)

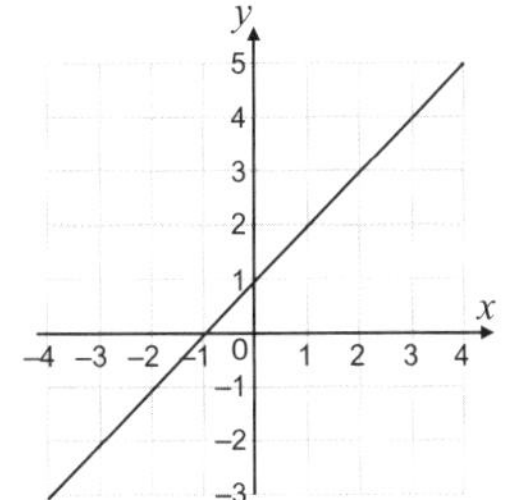

b)

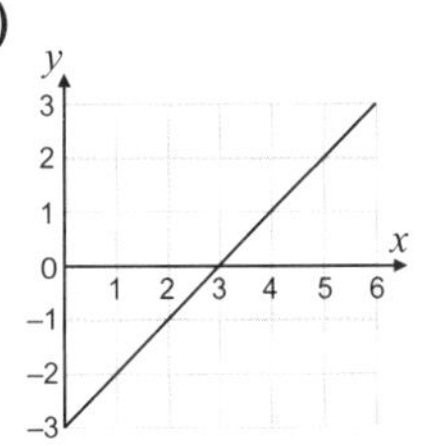

c)

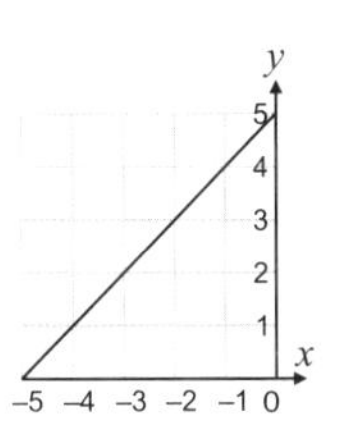

d)

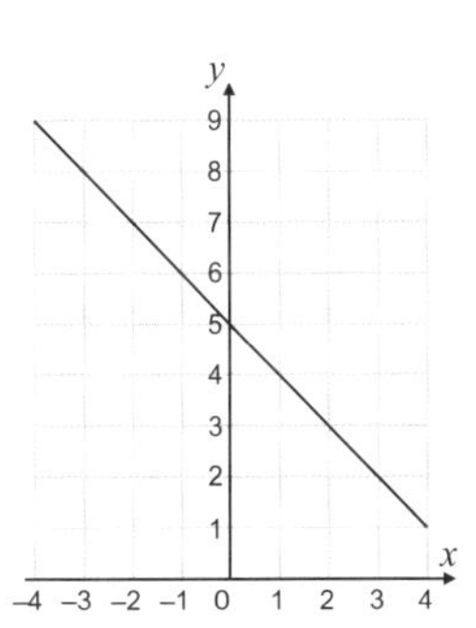

e)

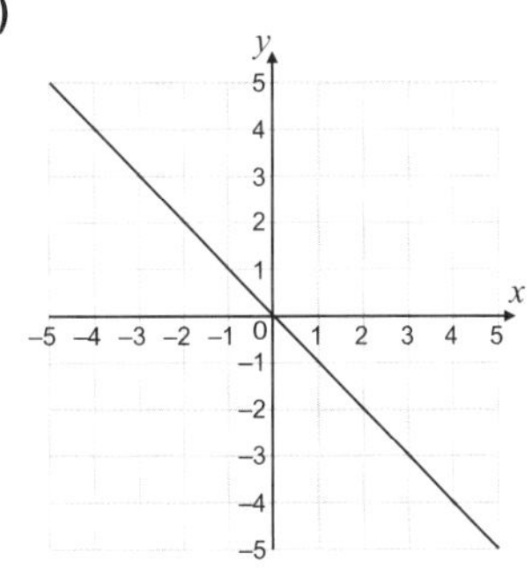

Page 154 Exercise 2

1 a)

x	0	1	2	3
$3x$	0	3	6	9
$3x - 2$	–2	1	4	7
Coords	(0, –2)	(1, 1)	(2, 4)	(3, 7)

b) and **c)**

y
13 12 11 10 9 8 7 6 5 4 3 2 1 0 –1 –2
1 2 3 4 5 x

2 a)

x	–1	0	1	2
$2x$	–2	0	2	4
$5 - 2x$	7	5	3	1
Coords	(–1, 7)	(0, 5)	(1, 3)	(2, 1)

b) and **c)**

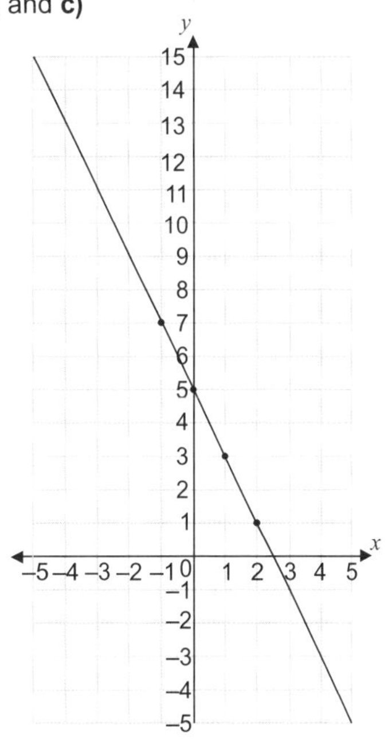

3 a) i)

x	–1	0	1	2
y	–3	–1	1	3
Coords	(–1, –3)	(0, –1)	(1, 1)	(2, 3)

ii)

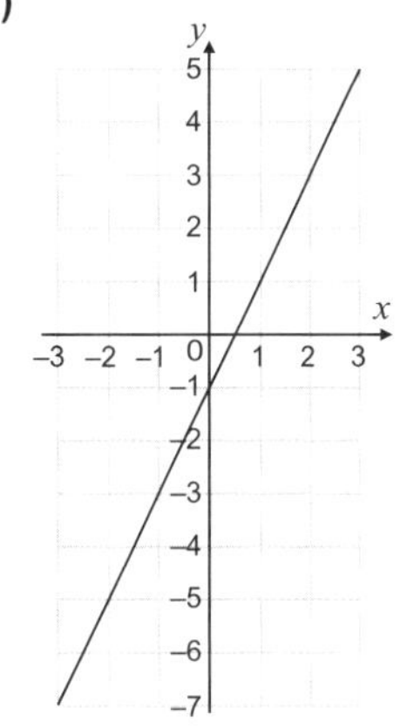

b) i)

x	–1	0	1	2
y	–2	1	4	7
Coords	(–1, –2)	(0, 1)	(1, 4)	(2, 7)

ii)

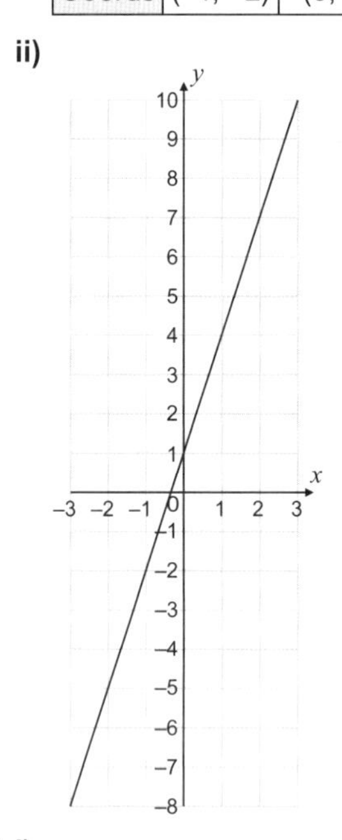

c) i)

x	–1	0	1	2
y	–2	2	6	10
Coords	(–1, –2)	(0, 2)	(1, 6)	(2, 10)

ii)

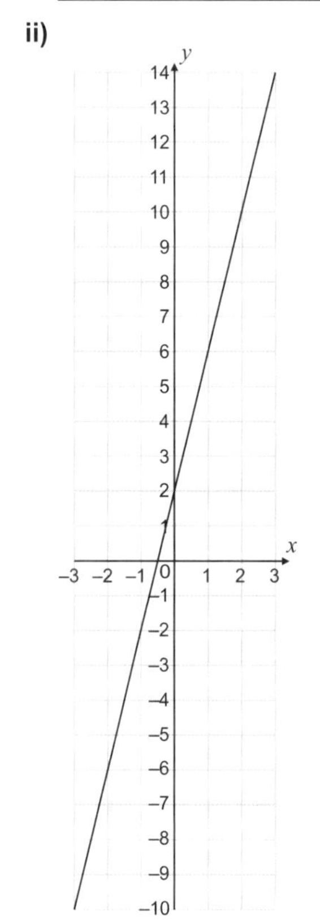

d) i)

x	–1	0	1	2
y	6	4	2	0
Coords	(–1, 6)	(0, 4)	(1, 2)	(2, 0)

ii)

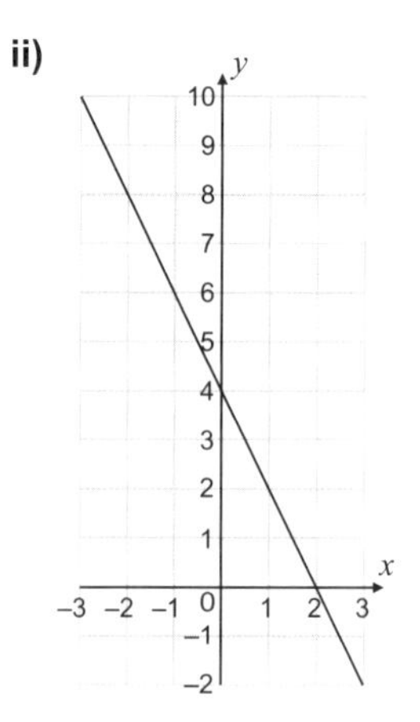

e) i)

x	–1	0	1	2
y	9	6	3	0
Coords	(–1, 9)	(0, 6)	(1, 3)	(2, 0)

ii)

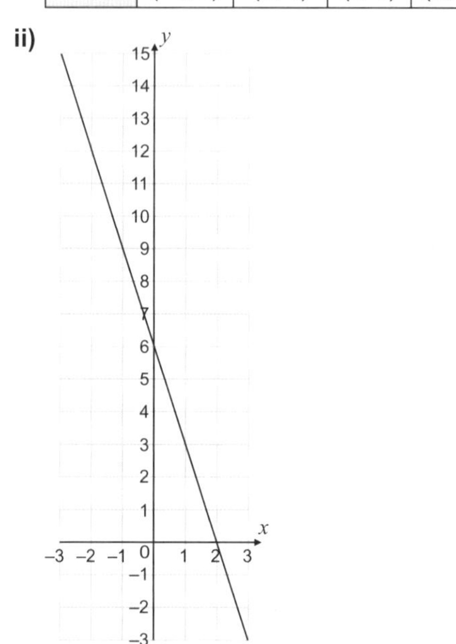

f) i)

x	–1	0	1	2
y	–6	–3	0	3
Coords	(–1, –6)	(0, –3)	(1, 0)	(2, 3)

ii)

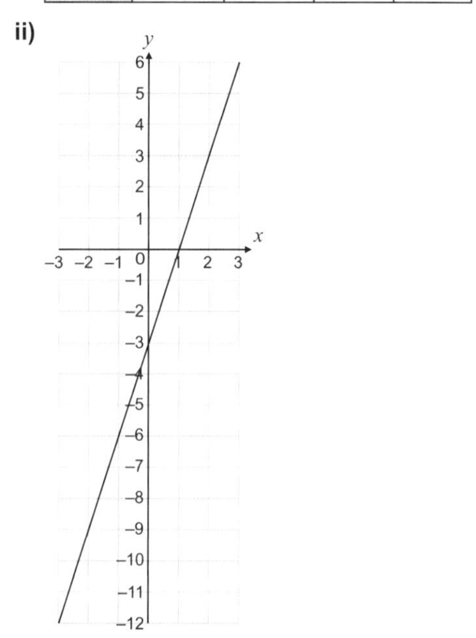

4 a)

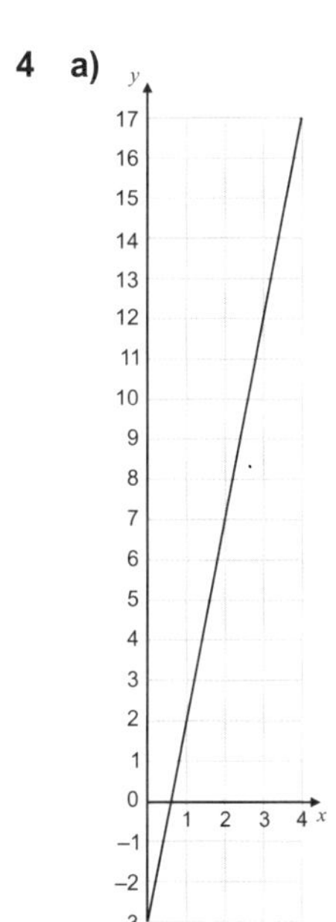

b)

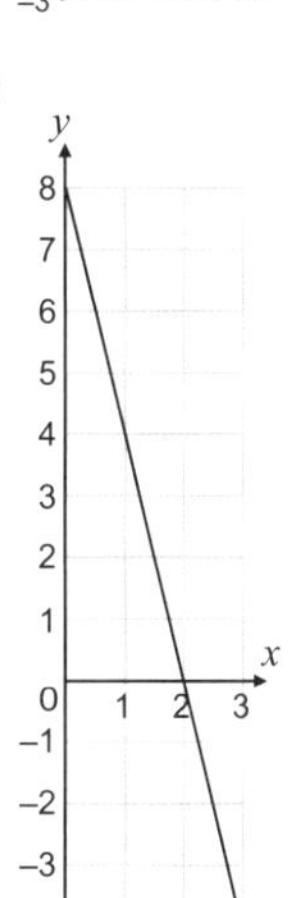

c)

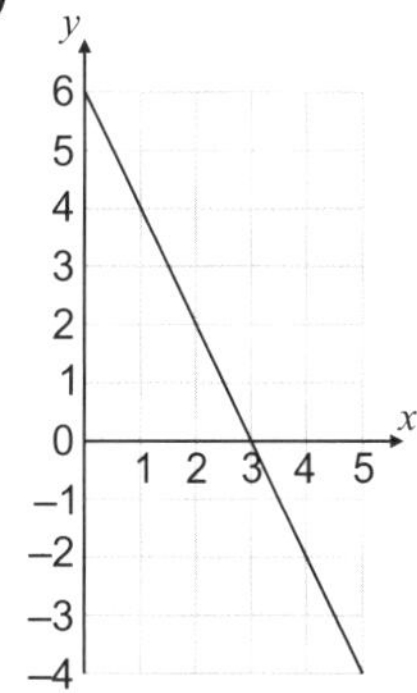

Page 156 Exercise 3

1 a)

x	–3	–2	–1	0	1	2	3
x^2	9	4	1	0	1	4	9

b) and **c)**

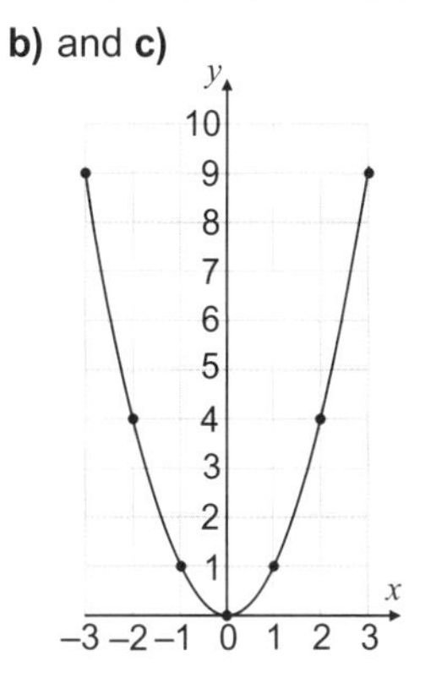

2 a)

x	–3	–2	–1	0	1	2	3
x^2	9	4	1	0	1	4	9
$x^2 + 3$	12	7	4	3	4	7	12

b) and **c)**

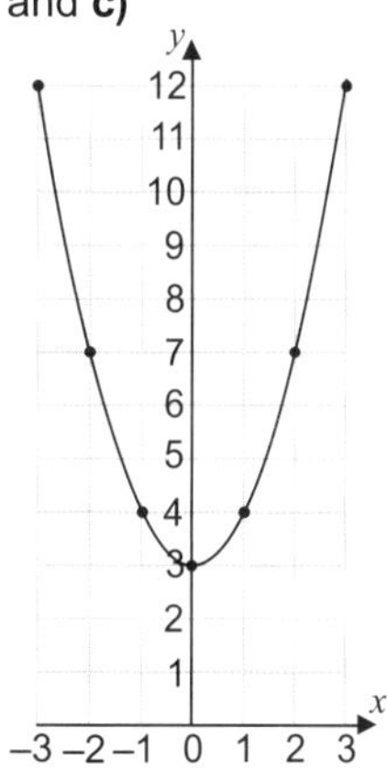

3 a)

x	–3	–2	–1	0	1	2	3
x^2	9	4	1	0	1	4	9
$x^2 - 2$	7	2	–1	–2	–1	2	7

b) and **c)**

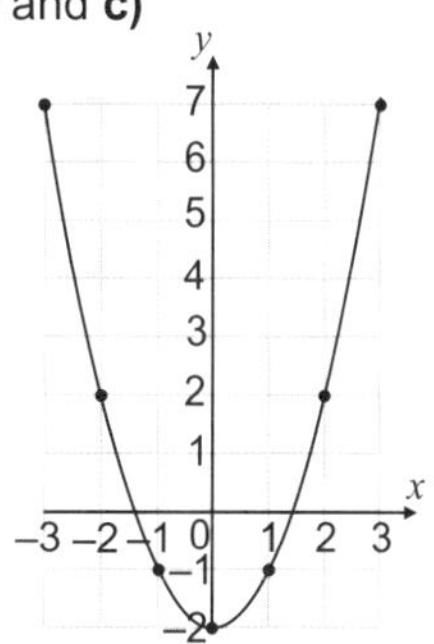

4 a) i)

x	–3	–2	–1	0	1	2	3
y	10	5	2	1	2	5	10

ii)

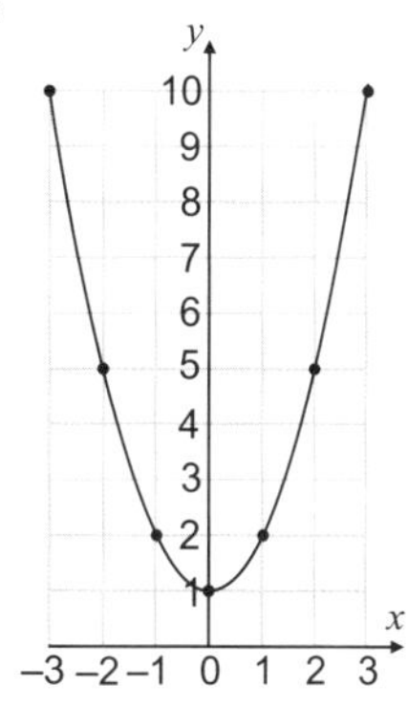

b) i)

x	–3	–2	–1	0	1	2	3
y	11	6	3	2	3	6	11

ii)

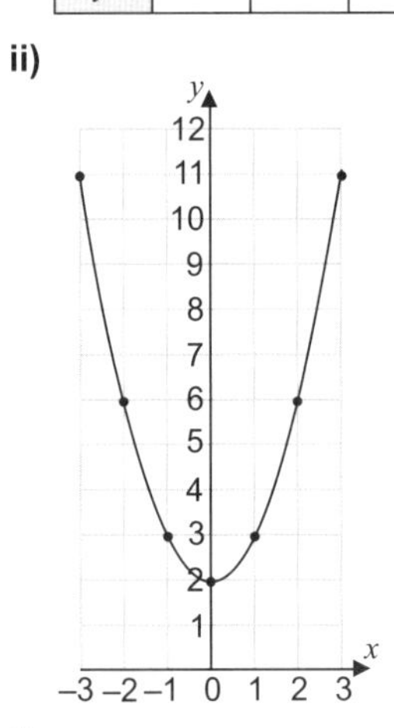

c) i)

x	–3	–2	–1	0	1	2	3
y	8	3	0	–1	0	3	8

ii)

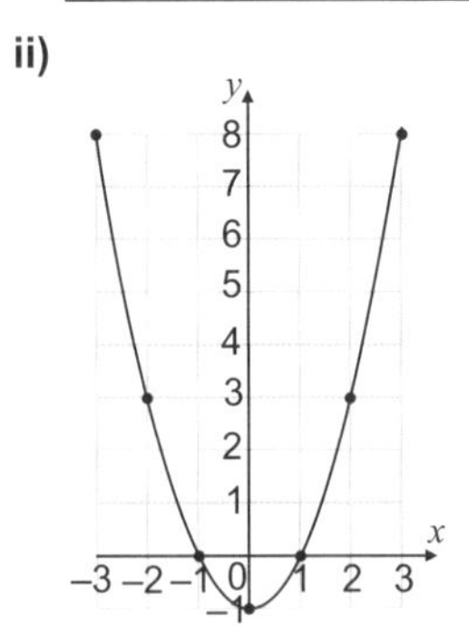

d) i)

x	–3	–2	–1	0	1	2	3
y	4	–1	–4	–5	–4	–1	4

ii)

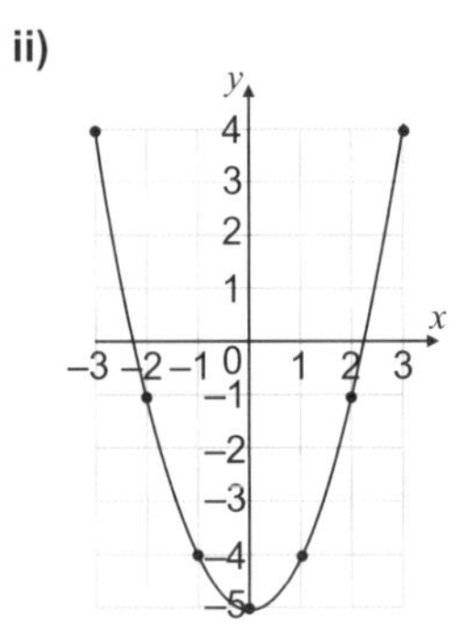

e) i)

x	–3	–2	–1	0	1	2	3
y	13	8	5	4	5	8	13

ii)

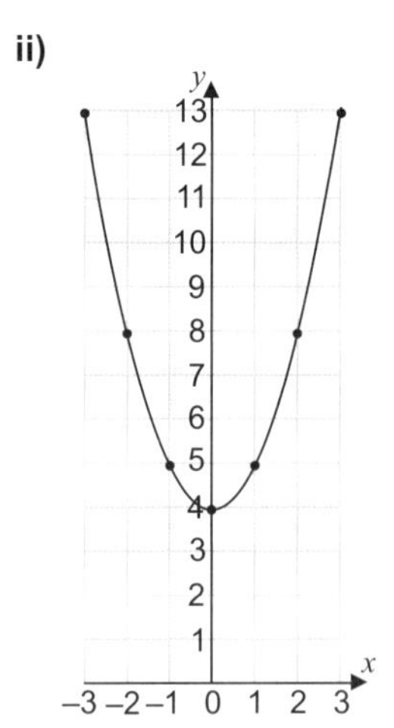

f) i)

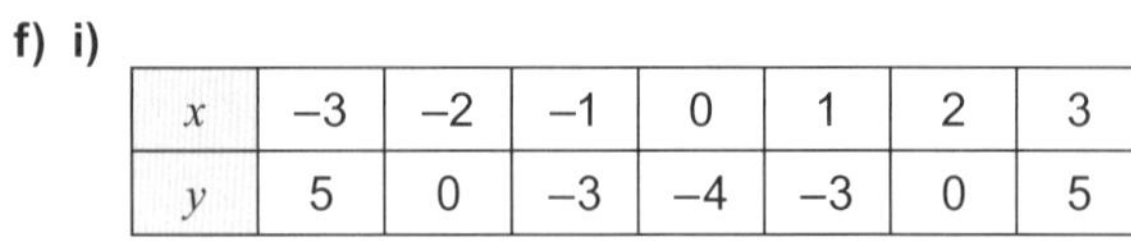

x	–3	–2	–1	0	1	2	3
y	5	0	–3	–4	–3	0	5

ii)

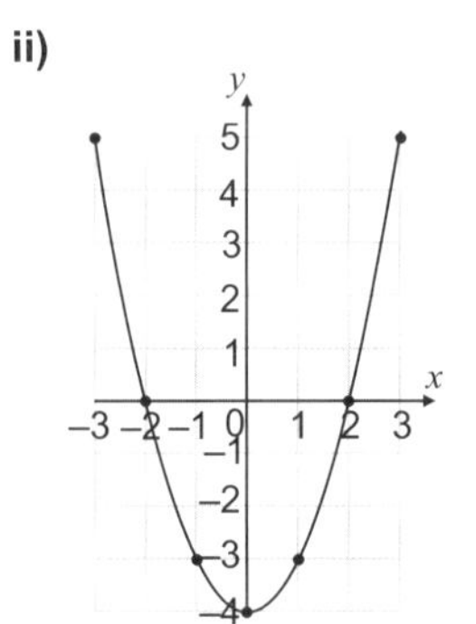

5 a) i)

x	–3	–2	–1	0	1	2	3
y	–9	–4	–1	0	–1	–4	–9

ii)

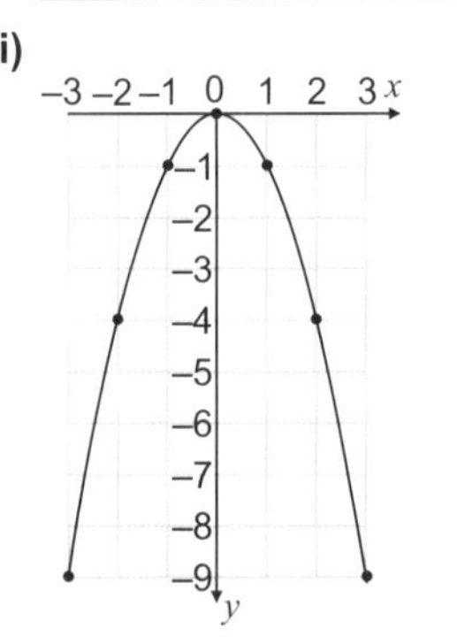

b) i)

x	–3	–2	–1	0	1	2	3
y	1	6	9	10	9	6	1

ii)

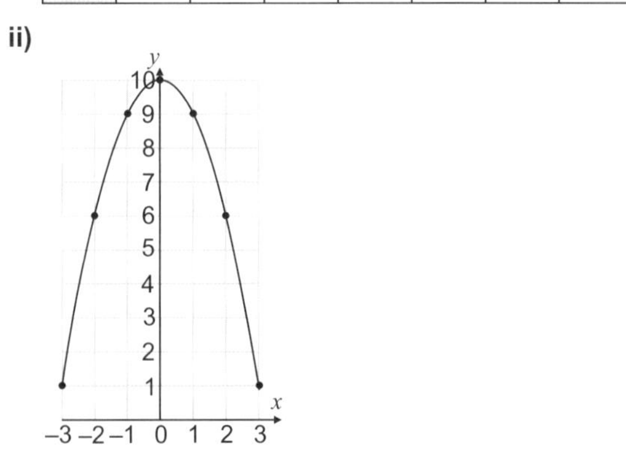

c) i)

x	−3	−2	−1	0	1	2	3
y	−5	0	3	4	3	0	−5

ii)

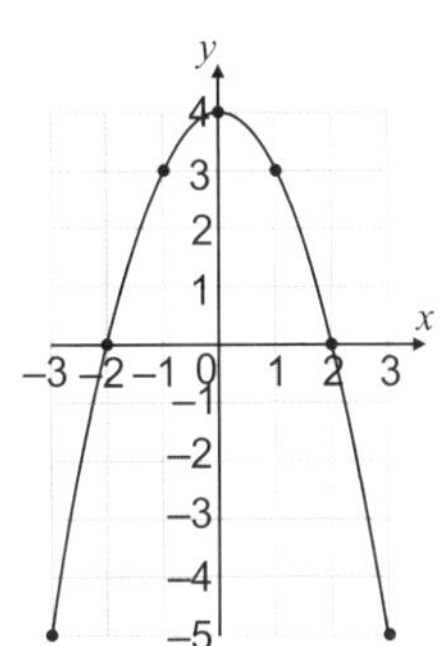

12.3 Interpreting Graphs

Page 158 Exercise 1

1 a) i) B **ii)** C **iii)** A **iv)** E
b) Graph D has the equation $y = -2$
c) i) $y = 0$ **ii)** $x = 0$

2 a) i) C **ii)** B **iii)** E **iv)** D
b) Graph A has the equation $y = 3x + 8$

Page 159 Exercise 2

1 a) 2 **b)** $\frac{2}{3}$ **c)** −3 **d)** $\frac{3}{2}$ **e)** $-\frac{1}{2}$

Page 160 Exercise 3

1 a) 1 **b)** 2 **c)** $\frac{5}{4}$ **d)** −2

2 a) A:(2, 3) and B:(4, 4) so gradient = $\frac{1}{2}$
b) C:(1, 9) and D:(3, 3) so gradient = −3
c) E:(−3, −4) and F:(1, 4) so gradient = 2
d) G:(−4, 1) and H:(2, −2) so gradient = $-\frac{1}{2}$

3 a)

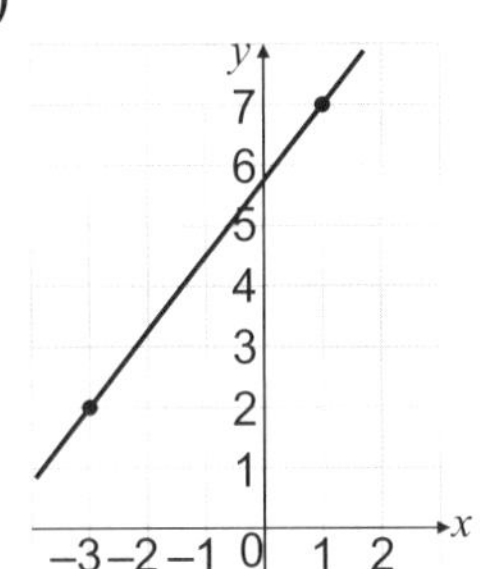

b) $\frac{5}{4}$

4 a) 4 **b)** $\frac{1}{2}$ **c)** −2 **d)** −1
e) −2 **f)** $\frac{2}{3}$ **g)** $-\frac{1}{4}$ **h)** −3

5 a) $\frac{1}{2}$ **b)** $-\frac{5}{3}$

Page 161 Exercise 4

1 a) i) 2 **ii)** (0, 3) **b) i)** 6 **ii)** (0, 1)
c) i) 3 **ii)** (0, −4) **d) i)** 5 **ii)** (0, 0)
e) i) 1 **ii)** (0, 7) **f) i)** 1 **ii)** (0, −2)
g) i) −2 **ii)** (0, 4) **h) i)** −2 **ii)** (0, 4)
i) i) 0 **ii)** (0, 6) **j) i)** $\frac{1}{2}$ **ii)** (0, 0)

2 a) $y = x - 2$ and $y = 3 + x$ (both have gradient = 1)
b) $y = 2x + 2$ and $y = 2 + 3x$ (both have y-intercept = 2)

3 a) $y = 4x + 1$ **b)** $y = 2x - 3$
c) $y = -2x + 5$ ($y = 5 - 2x$) **d)** $y = x$

4 a) i) 2 **ii)** (0, 1) **iii)** $y = 2x + 1$
b) i) 1 **ii)** (0, −1) **iii)** $y = x - 1$
c) i) 3 **ii)** (0, 2) **iii)** $y = 3x + 2$
d) i) $\frac{1}{2}$ **ii)** (0, 1) **iii)** $y = \frac{1}{2}x + 1$
e) i) $\frac{3}{4}$ **ii)** (0, 0) **iii)** $y = \frac{3}{4}x$
f) i) −2 **ii)** (0, 6) **iii)** $y = -2x + 6$ ($y = 6 - 2x$)

12.4 Modelling Using Graphs

Page 163 Exercise 1

1 a) €260 **b)** €60 **c)** €260
d) £130 **e)** £340 **f)** £290

2 £230

3 The laptop is cheaper in the UK.

4 a) £1.80 **b)** £6.80 **c)** £8.60

5 a) 280 g **b)** 500 g **c)** 120 g

6 £18

7 880 g

Page 165 Exercise 2

1 a)

Weight (kg)	1	2	3	4	5
Time (minutes)	60	100	140	180	220

b) and **c)**

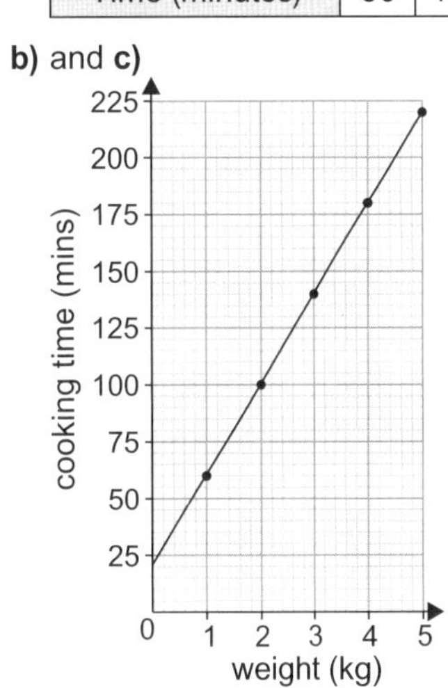

2 a)

No. of parcels in delivery	1	2	3	4	5
Cost (£)	6.60	8.00	9.40	10.80	12.20

b) and **c)**

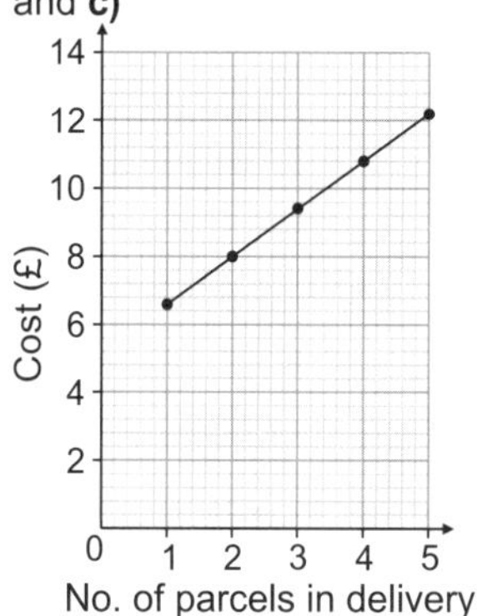

3 a)

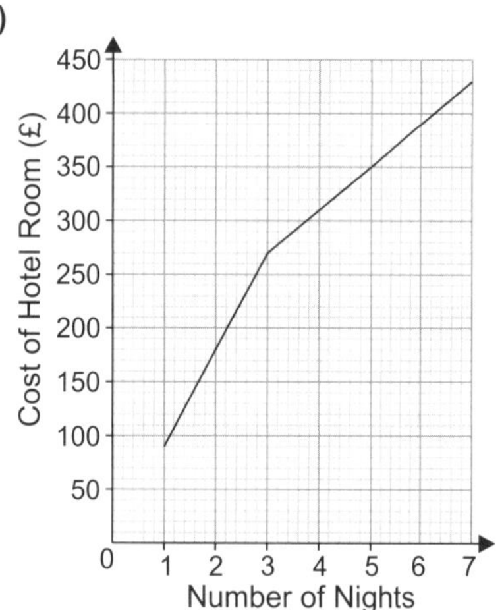

b) 6 nights

4 a)

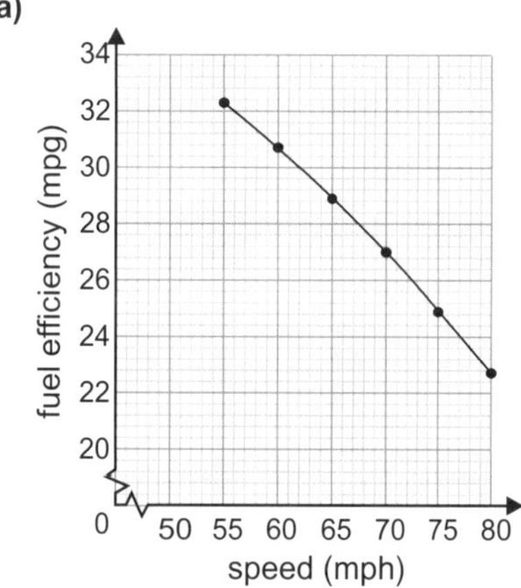

b) Allow any answer between 25.6 mpg and 25.8 mpg

Section 13 — Angles and Shapes

13.1 Angle Rules

Page 166 Exercise 1

1 a) 50° **b)** 65° **c)** 11°

2 a) 80° **b)** 30° **c)** 169°

3 a) 65° **b)** 50° **c)** 34°

4 a) 285° **b)** 150° **c)** 130°

5 a) 155° **b)** 65° **c)** 96°

6 a) $x = 50°$ **b)** $b = 40°$ **c)** $p = 45°$
d) $k = 70°$ **e)** $m = 60°$ **f)** $v = 34°$

Page 168 Exercise 2

1 a) $a = 100°$ **b)** $b = 160°$ **c)** $c = 88°$

2 a) $e = 25°, f = 155°, g = 155°$
b) $p = 110°, q = 70°, r = 70°$
c) $u = 123°, v = 57°, w = 57°$

3 a) $a = b = c = 90°$ **b)** $w = 37°$ **c)** $u = 50°$
d) $k = 50°$ **e)** $e = 60°$ **f)** $j = 50°$

Page 170 Exercise 3

1 a) Neither
b) Corresponding
c) Alternate

2 a) $a = 40°$ — alternate angles
b) $b = 135°$ — alternate angles
c) $c = 105°$ — alternate angles

3 a) $x = 140°$ — corresponding angles
b) $y = 51°$ — corresponding angles
c) $z = 148°$ — corresponding angles

4 a) $p = 107°, q = 107°$ — corresponding angles
b) $u = 32°$ — e.g. alternate angles
$v = 32°$ — e.g. vertically opposite angles
$w = 32°$ — e.g. corresponding angles

5 $a = 102°$

6 $f = 49°$

7 a) $a = 34°, b = 34°$
b) $j = 93°, k = 87°$
c) $g = 90°, h = 90°$

8 $x = 35°, y = 54°, z = 91°$

13.2 2D Shapes

Page 172 Exercise 1

1 a)

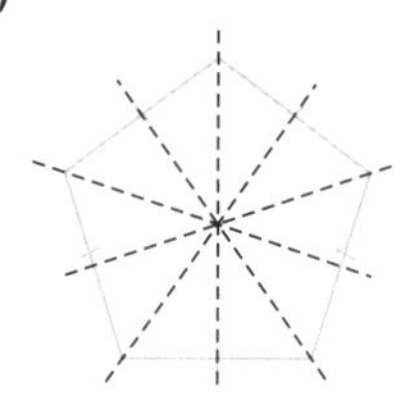

b) 5

2 a) i)

ii) 2

b) i)

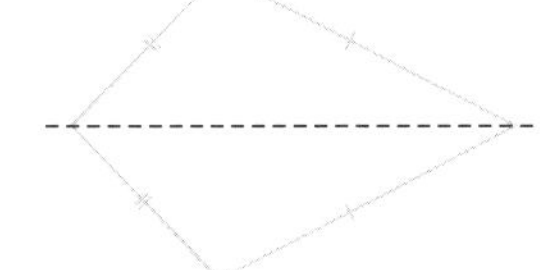

ii) 1

c) i)

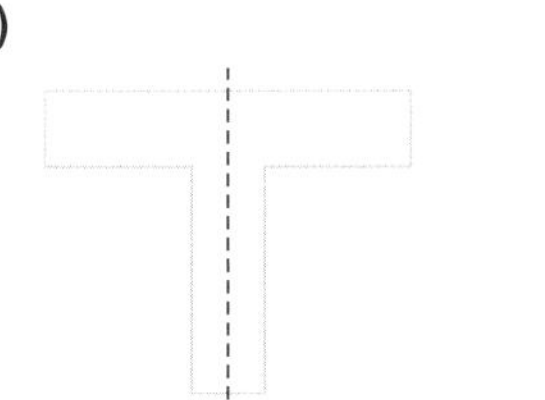

ii) 1

d) i)

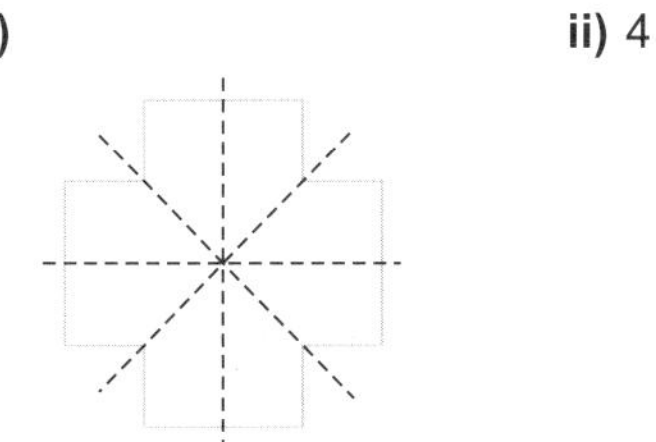

ii) 4

e) i)

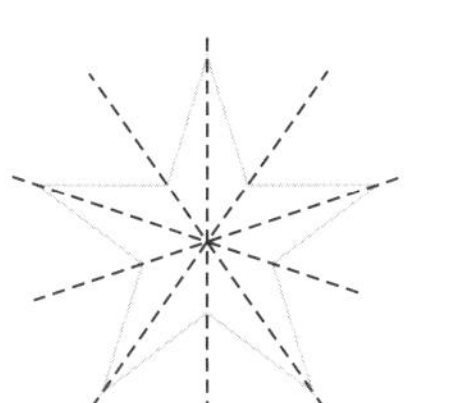

ii) 5

f) i)

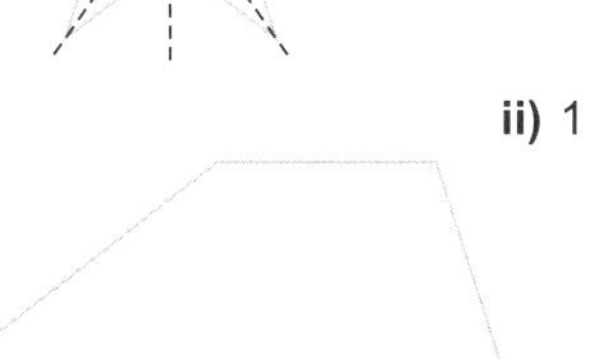

ii) 1

3 **a) i)** 6 lines of symmetry
ii) Order of rotational symmetry = 6
b) i) 1 line of symmetry
ii) Order of rotational symmetry = 1
c) i) 4 lines of symmetry
ii) Order of rotational symmetry = 4
d) i) 8 lines of symmetry
ii) Order of rotational symmetry = 8
e) i) No lines of symmetry
ii) Order of rotational symmetry = 1
f) i) 2 lines of symmetry
ii) Order of rotational symmetry = 2

4 **a)** No lines of symmetry
b) Order of rotational symmetry = 4

5 **a)**

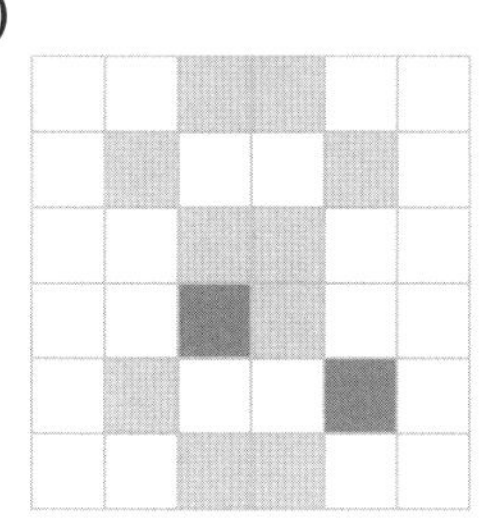

b)

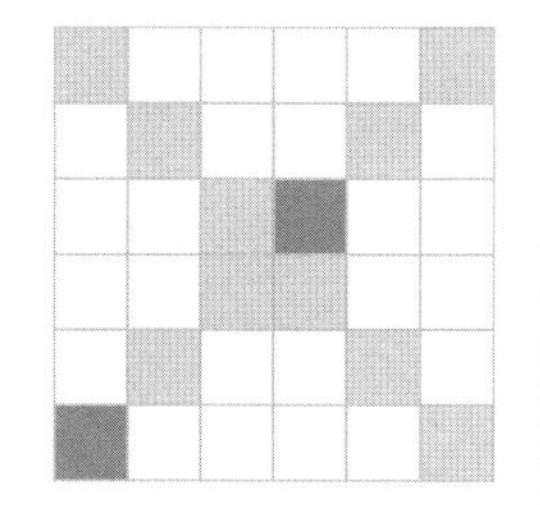

Page 175 Exercise 2

1 **a)** Isosceles triangle **b)** Trapezium
c) Kite

2 Rhombus

3

Sketch	Name of shape	Number of lines of symmetry	Order of rotational symmetry
E.g.	Scalene triangle	0	1
	Equilateral triangle	3	3
	Rectangle	2	2

4 **a)** Two pairs **b)** Kite
c) One pair **d)** Rhombus

5 **a) i)**

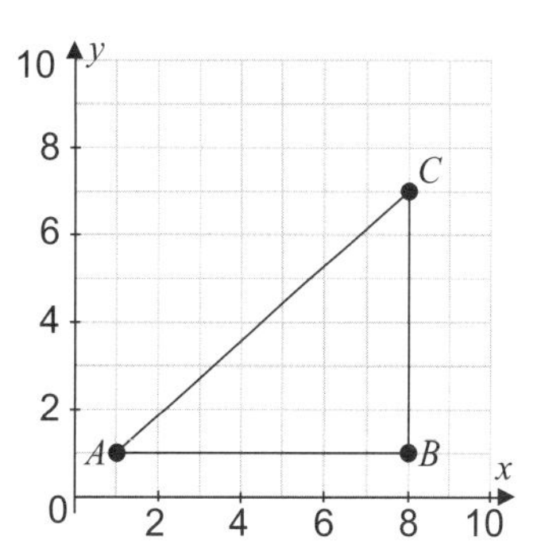

ii) Right-angled triangle

b) i)

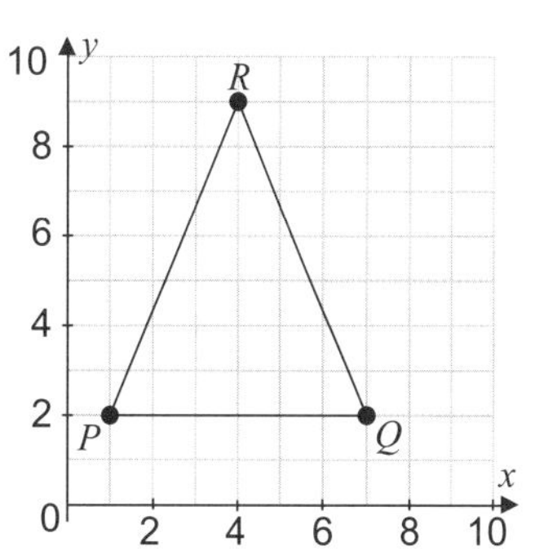

ii) Isosceles triangle

c) i)

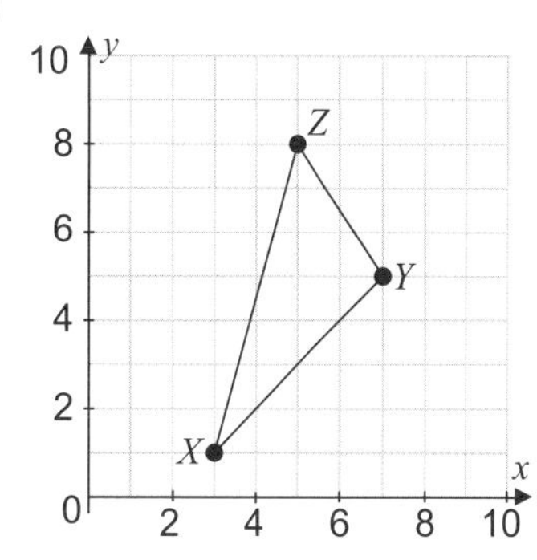

ii) Scalene triangle

6 **a)**

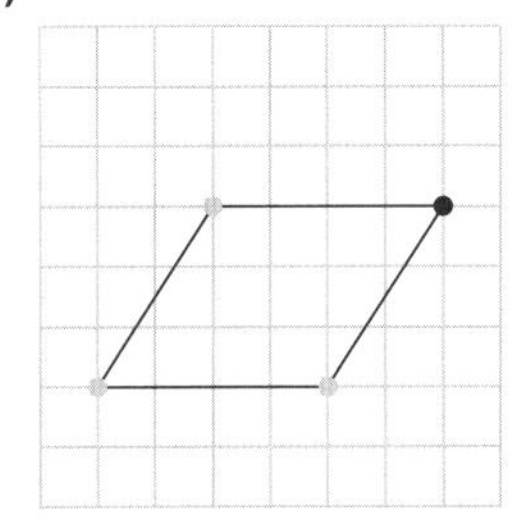

b)

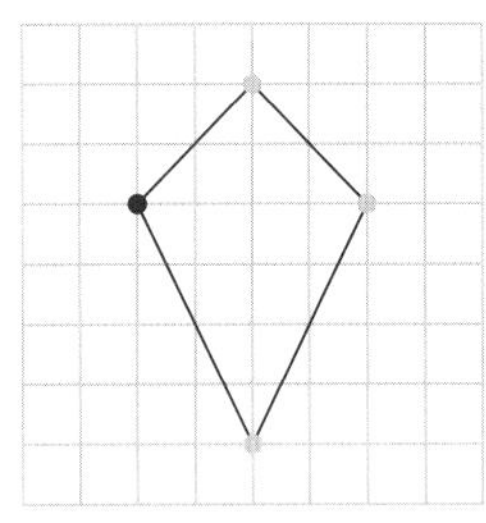

c)

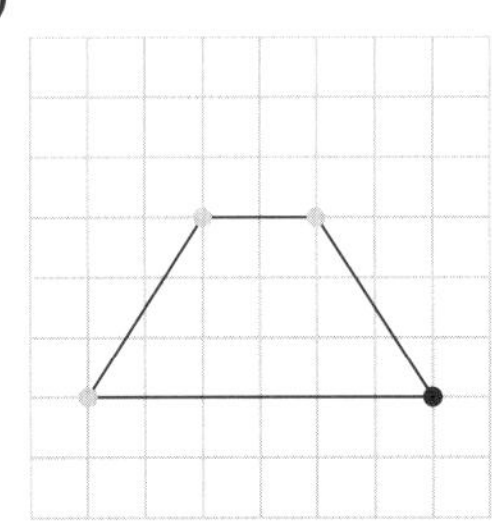

7 Yes, they can both be correct — if the other angles of a right-angled triangle are both 45°, the triangle is also isosceles.

8 **a)** Square, rectangle, rhombus, parallelogram
b) Square, rhombus, kite
c) Rhombus, parallelogram
d) Square, rhombus

Page 177 Exercise 3

1 **a)** a = 25° **b)** b = 60° **c)** c = 82°
d) d = 65° **e)** e = 60° **f)** f = 68°
2 **a)** u = 40° **b)** v = 70° **c)** w = 132°
d) x = 62° **e)** y = 66° **f)** z = 45°
3 **a)** m = 30° **b)** p = 25° **c)** j = 15°
4 **a)** x = 60°, y = 60°, z = 120°
b) r = 52°, s = 76°, t = 128°, u = 14°, v = 38°

Page 179 Exercise 4

1 **a)** a = 125° **b)** b = 60° **c)** c = 55°
d) d = 119° **e)** e = 15° **f)** f = 124°
2 **a)** u = 64° **b)** v = 104° **c)** w = 54°
d) x = 32° **e)** y = 71° **f)** z = 105°
3 153°, 27° and 153°
4 **a)** p = 60° **b)** s = 44° **c)** k = 45°
5 **a)** a = 48°, b = 48°, c = 132°
b) x = 106°, y = 74°, z = 32°

13.3 Angles in Polygons

Page 181 Exercise 1

1 **a)** 360° **b)** 540° **c)** 1440°
2 **a)**

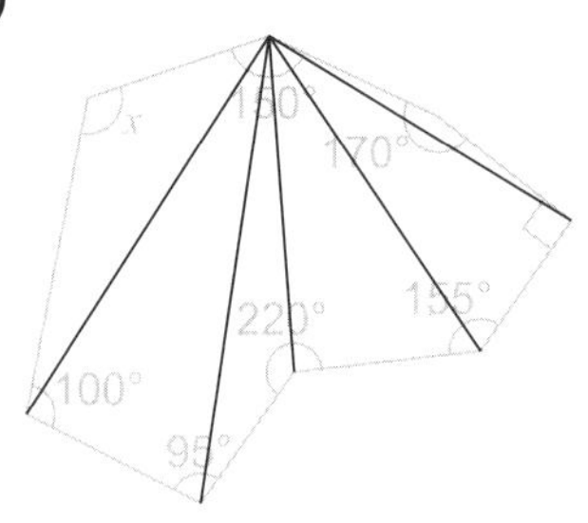

b) 1080° **c)** x = 100°
3 **a)** 900° **b)** y = 105°
4 105°
5 **a)** a = 93° **b)** b = 146°
6 **a)** 1800° **b)** 150°
7 **a)** 120° **b)** 135° **c)** 156°

13.4 Properties of 3D Shapes

Page 183 Exercise 1

1 **a) i)** 6 **ii)** 8 **iii)** 12
b) i) 5 **ii)** 5 **iii)** 8
c) i) 5 **ii)** 6 **iii)** 9
2 A, C and E are prisms
3 **a)** Cylinder
b) i) 3 **ii)** 0 **iii)** 2
4 Regular tetrahedron
5 Faces = 7, vertices = 10, edges = 15
6 **a)** Cuboid **b)** Square-based pyramid

Section 14 — Constructions

14.1 Constructions

Page 185 Exercise 1

1 **a)** and **b)**
E.g.

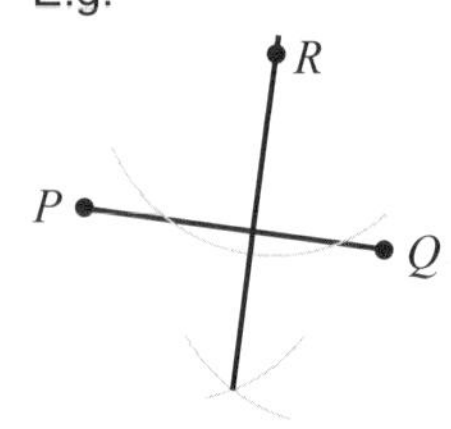

2 **a)**, **b)** and **c)**

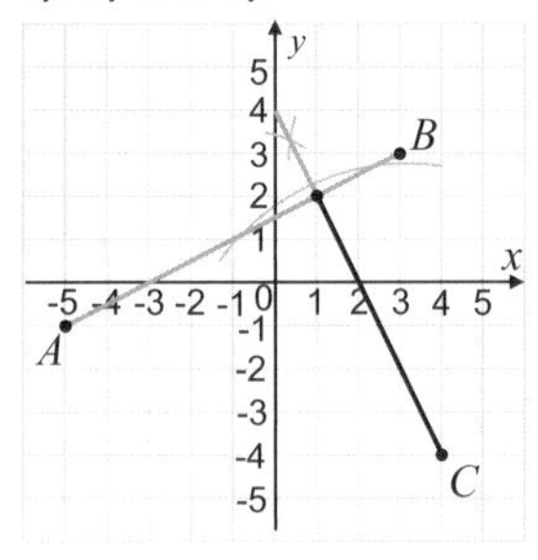

d) (1, 2)

3

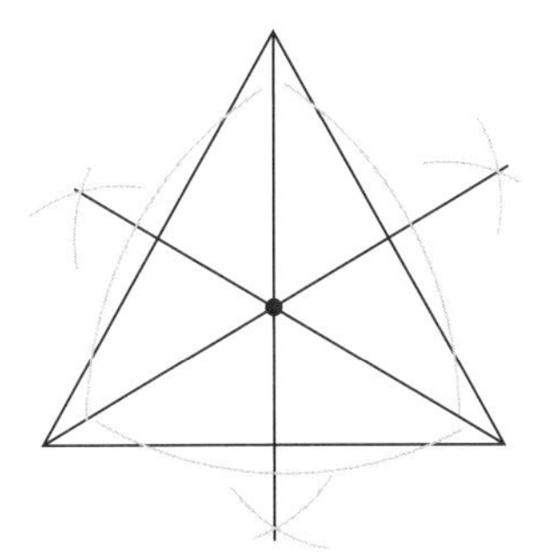

E.g. The perpendiculars cross at a point inside the triangle that's the same perpendicular distance from each side.

4

E.g.

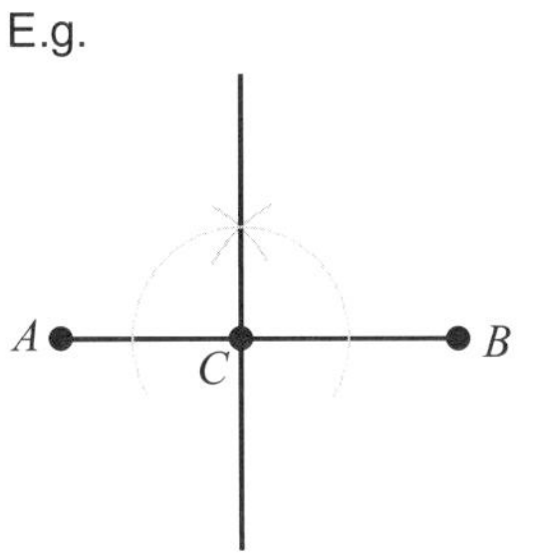

Page 187 Exercise 2

1 a) and **b)**

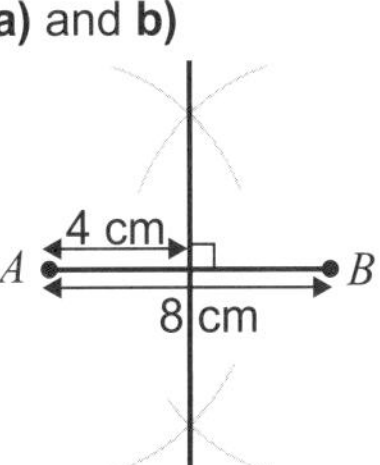

2 a) and **b)**

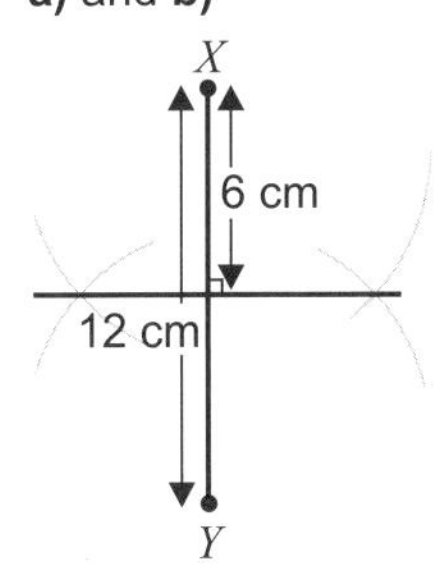

3 a) and **b)**

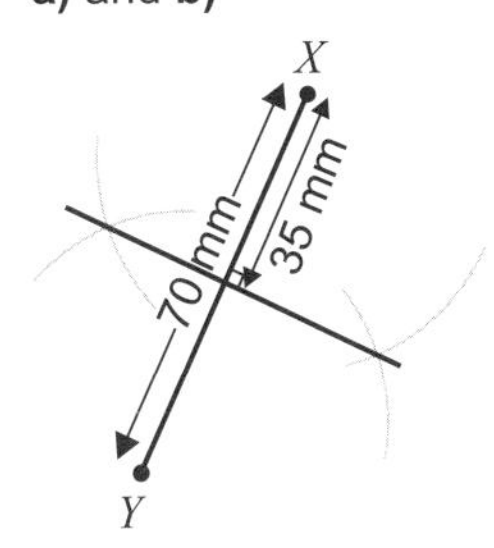

4 a), **b)** and **c)**

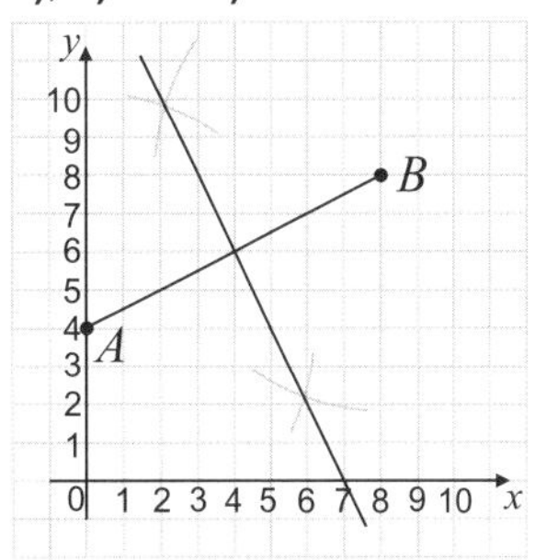

d) (7, 0)

5 a), **b)** and **c)**

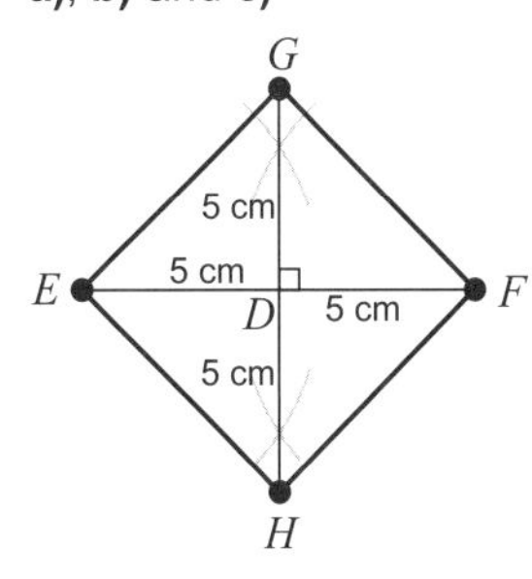

d) square

6 a), **b)** and **c)**

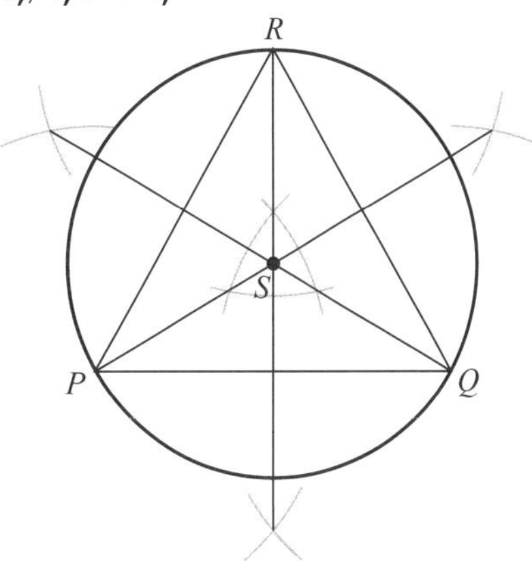

d) E.g. The circle passes through points P, Q and R, so points P, Q and R are the same distance from S.

Page 188 Exercise 3

1 a)

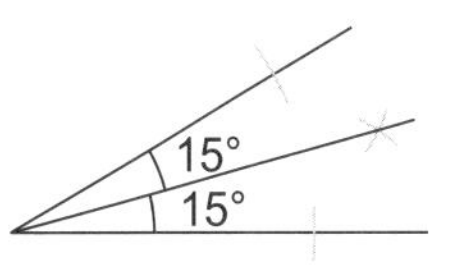

b)

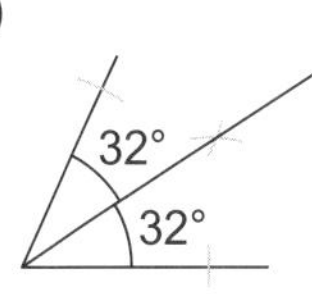

c)

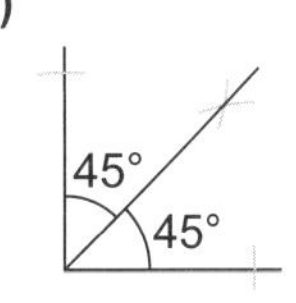

d)

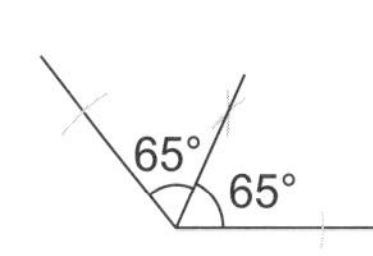

e)

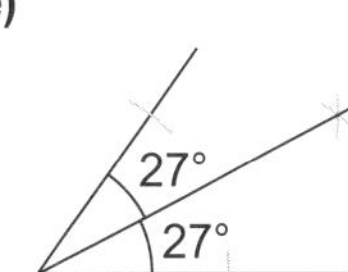

f)

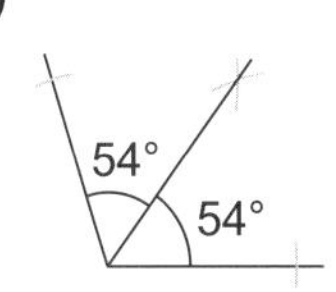

g)

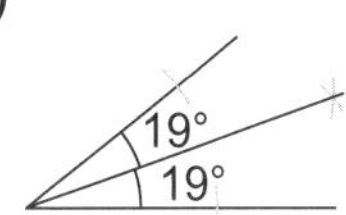

h)

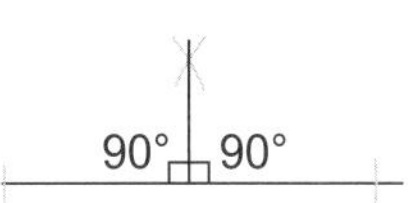

2 **a)**, **b)** and **c)**
E.g

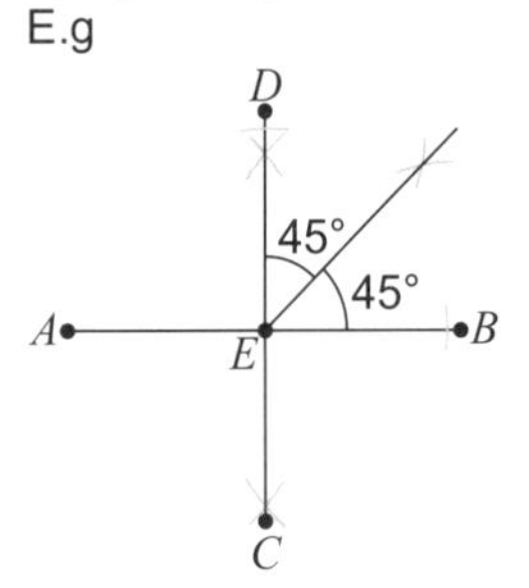

3 **a)**, **b)** and **c)**
E.g

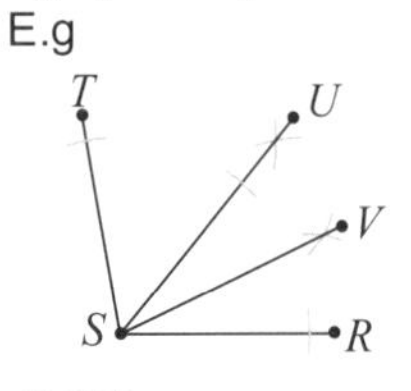

d) 25°

4

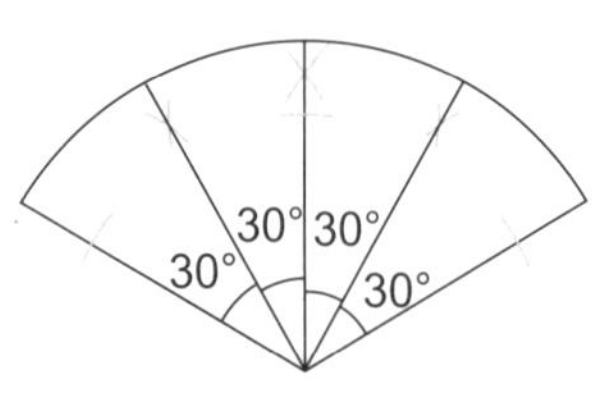

5 **a)** and **b)**

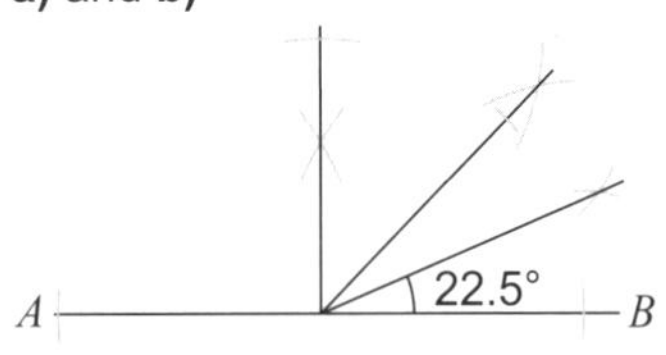

Page 191 Exercise 4

1 **a) - f)** Measure all 3 sides of your triangles and check the lengths are correct.

2 Measure all 3 sides of your triangle and check the lengths are correct.

3 **a) - d)** Measure all 3 sides of your triangles and check the lengths are correct.

4 E.g.

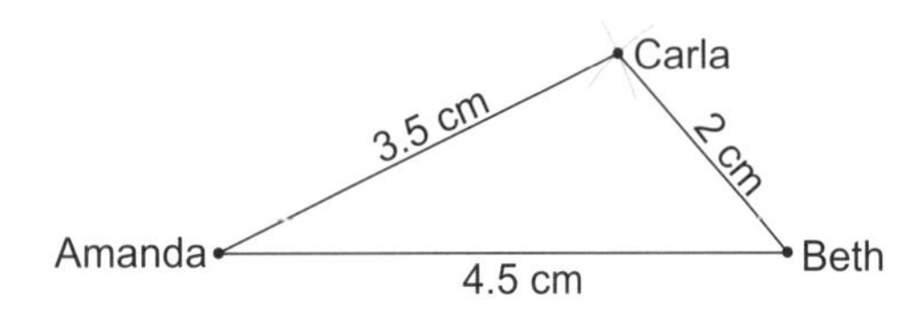

Section 15 — Perimeter, Area, Volume and Pythagoras

15.1 Perimeter

Page 192 Exercise 1

1 **a)** 32 cm **b)** 40 m **c)** 114 cm
d) 108 m **e)** 116 m **f)** 126 cm

2 **a)** 222 m **b)** 196 m

Page 194 Exercise 2

1 **a)** 12.57 cm **b)** 34.56 cm
c) 43.98 cm **d)** 69.12 m

2 **a)** 50.27 cm **b)** 31.42 m
c) 56.55 mm **d)** 87.96 m

3 **a)** 62.83 m **b)** 100.53 m
c) 65.97 mm **d)** 113.10 cm

4 **a)** 21.99 cm **b)** 40.84 m
c) 53.41 mm **d)** 75.40 cm
e) 18.85 cm **f)** 6.28 m
g) 100.53 cm **h)** 94.25 mm

5 **a)** 69.12 mm **b)** 28.27 cm
c) 45.55 m **d)** 103.67 mm
e) 72.26 cm **f)** 39.27 mm

6 **a)** 85.77 mm **b)** 399.61 m
c) 109.96 cm **d)** 49.32 cm

7 **a)** 7.71 cm **b)** 18.00 cm
c) 25.71 m **d)** 51.42 cm
e) 61.70 mm **f)** 28.57 m
g) 21.42 mm **h)** 39.28 cm

15.2 Area

Page 196 Exercise 1

1 **a)** 6 cm^2 **b)** 42 cm^2
c) 44 m^2 **d)** 187 m^2

2 **a)** 14 cm^2 **b)** 36 m^2
c) 95 m^2 **d)** 189 m^2

3 **a)** 108 cm^2 **b)** 34 m^2 **c)** 143 cm^2
d) 203 mm^2 **e)** 135 cm^2 **f)** 162 mm^2
g) 310 cm^2 **h)** 297 m^2 **i)** 156 mm^2

4 855 cm^2

5 137.5 m^2

6 4.725 m^2

7 **a)** 31.5 cm^2 **b)** 56 m^2 **c)** 261 m^2

Page 198 Exercise 2

1 **a)** 18 cm^2 **b)** 108 m^2
c) 112 m^2 **d)** 26 mm^2
e) 35.65 m^2 **f)** 47.04 mm^2

2 **a)** 177.1 cm^2 **b)** 154.8 mm^2
c) 55.5 cm^2 **d)** 92.7 m^2
e) 321.3 cm^2 **f)** 243.36 cm^2

3 870.75 m^2

4 7548 m^2

5 6072 cm^2

Page 200 Exercise 3

1 **a)** 18 m^2 **b)** 36 m^2 **c)** 176 cm^2
d) 195 cm^2 **e)** 108 m^2 **f)** 361 cm^2

2 **a)** 31.11 m^2 **b)** 7.02 m^2

3 2.8 m^2

4 926.48 m^2

Page 201 Exercise 4

1 **a)** 28.27 cm^2 **b)** 153.94 m^2
c) 50.27 mm^2 **d)** 201.06 cm^2

2 **a)** 3.14 cm^2 **b)** 28.27 m^2
c) 314.16 cm^2 **d)** 380.13 mm^2

3 a) 95.03 mm^2 b) 706.86 cm^2
c) 1134.11 m^2 d) 346.36 m^2

4 a) 12.57 mm^2 b) 113.10 cm^2
c) 314.16 m^2 d) 452.39 m^2
e) 78.54 cm^2 f) 12.57 cm^2
g) 113.10 mm^2 h) 201.06 m^2
i) 176.71 m^2 j) 615.75 mm^2
k) 283.53 cm^2 l) 1661.90 cm^2

5 a) 401.15 m^2 b) 589.65 cm^2
c) 18.10 m^2

6 a) 25.13 cm^2 b) 56.55 m^2
c) 190.07 mm^2 d) 567.06 cm^2
e) 39.27 cm^2 f) 76.97 mm^2
g) 66.37 m^2 h) 113.49 cm^2

7 a) 12.57 m^2 b) 19.63 mm^2
c) 132.73 cm^2 d) 346.36 m^2

Page 204 Exercise 5

1 a) 20 cm^2 b) 51 m^2
c) 55 cm^2

2 a) 91 cm^2 b) 40 mm^2
c) 50 m^2

3 a) 13.57 cm^2 b) 224.55 m^2
c) 256.97 m^2

4 a) 20.28 m^2 b) 196.53 m^2 c) 35.14 cm^2

5 a) 21.28 cm^2 b) 75.13 m^2 c) 282.05 m^2

15.3 Volume

Page 205 Exercise 1

1 a) 125 cm^3 b) 27 mm^3
c) 64 m^3 d) 729 m^3

2 a) 343 mm^3 b) 1331 cm^3
c) 512 m^3 d) 1728 cm^3

3 a) 126 cm^3 b) 504 m^3
c) 200 cm^3 d) 324 m^3
e) 54 mm^3 f) 112 cm^3

4 a) 275 cm^3 b) 1584 mm^3
c) 693 m^3 d) 2100 m^3
e) 756 cm^3 f) 2197 mm^3
g) 720 cm^3 h) 792 m^3

5 2904 cm^3

6 750 m^3

7 30 504 mm^3

8 9530.04 cm^3

9 a) 0.68 m^3 b) 0.272 m^3

10 a) 432 000 cm^3 b) 336 000 cm^3

Page 208 Exercise 2

1 a) 60 cm^3 b) 72 m^3
c) 84 mm^3 d) 110 m^3
e) 198 cm^3 f) 399 mm^3

2 a) 176 cm^3 b) 437 m^3
c) 620 m^3 d) 832 cm^3
e) 686 cm^3 f) 392 mm^3

3 a) 140 cm^3 b) 792 m^3
c) 336 m^3 d) 742.5 cm^3
e) 2156 mm^3 f) 2520 m^3

4 40.755 m^3

5 a) 130 m^3 b) 924 cm^3
c) 1232 m^3 d) 6534 mm^3
e) 1755 m^3 f) 6864 cm^3

6 a) 1357.17 cm^3 b) 188.50 mm^3
c) 1306.90 cm^3 d) 2924.82 m^3
e) 3455.75 cm^3 f) 9952.57 m^3

7 4287.29 cm^3

8 377 000 mm^3

9 395.85 cm^3

15.4 Pythagoras' Theorem

Page 210 Exercise 1

1 a) 7.81 cm b) 9.43 mm
c) 9.85 m d) 15.56 mm
e) 16.28 m f) 17.20 cm

2 5.43 m

3 82.42 cm

4 41.40 m

Page 211 Exercise 2

1 a) 7.55 mm b) 12.04 m
c) 13.60 cm

2 a) 21.93 mm b) 19.62 cm
c) 36.24 m

3 21.56 cm

4 3.89 m

5 3.10 m

6 3.96 m

Section 16 — Transformations

16.1 Reflection

Page 213 Exercise 1

1 a)

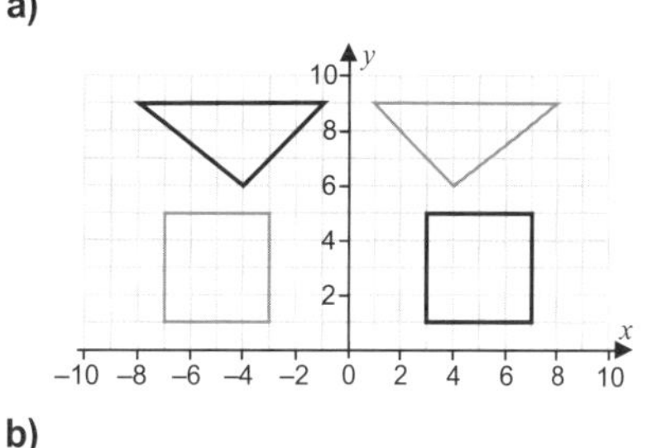

b)

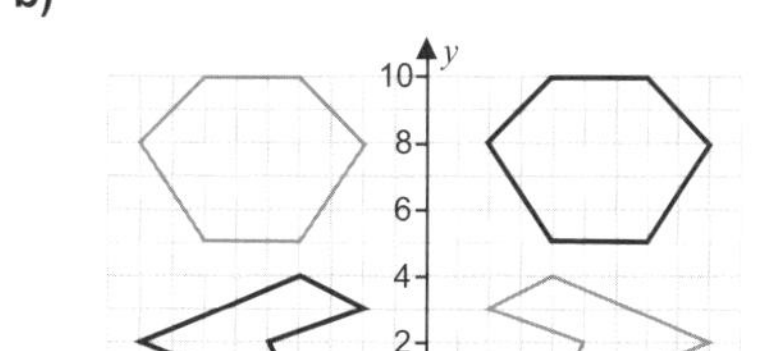

2 a)

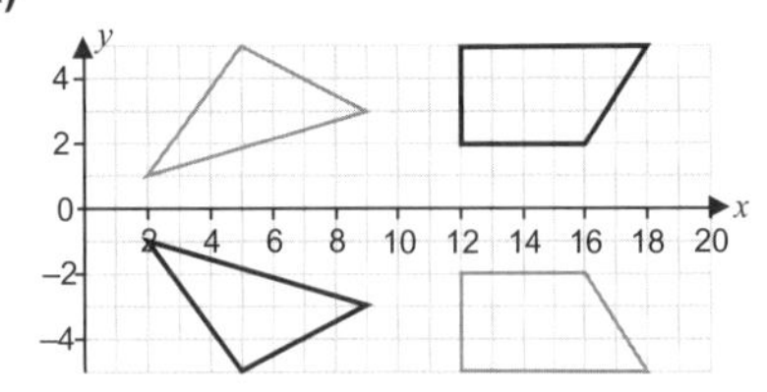

b)

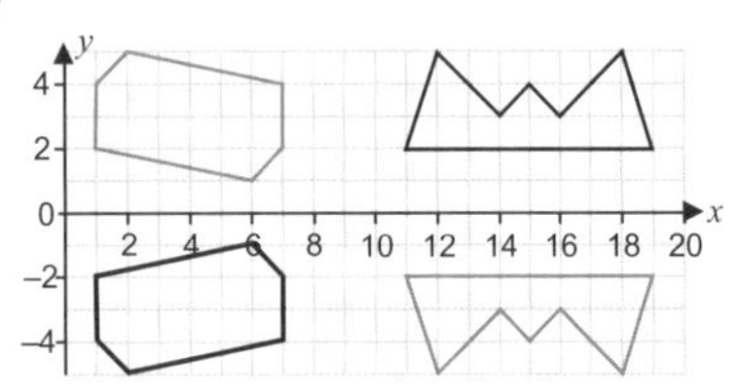

3 a) and **b)**

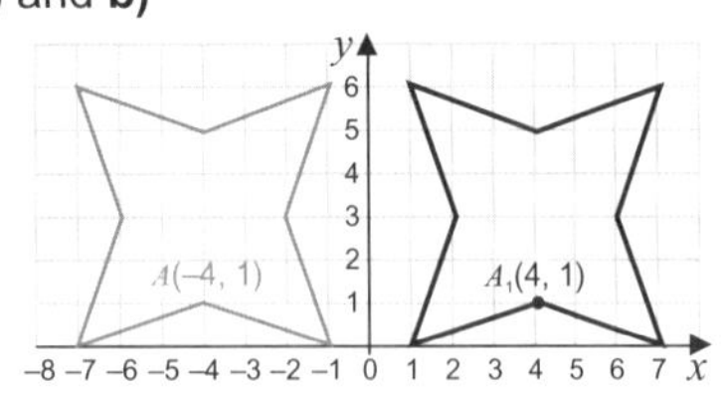

4 a)

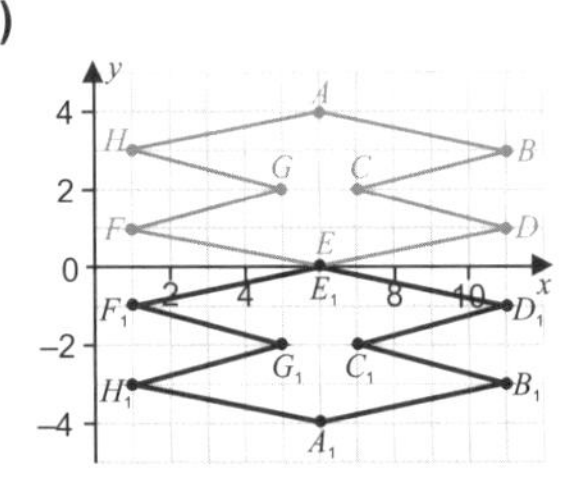

b) $A_1(6, -4)$, $B_1(11, -3)$, $C_1(7, -2)$, $D_1(11, -1)$, $E_1(6, 0)$, $F_1(1, -1)$, $G_1(5, -2)$, $H_1(1, -3)$

5

Shape	Reflected shape
$A(0, 4)$	$A_1(0, 4)$
$B(2, 6)$	$B_1(-2, 6)$
$C(-1, 7)$	$C_1(1, 7)$
$D(-2, 4)$	$D_1(2, 4)$

Page 215 Exercise 2

1 a) and **b)**

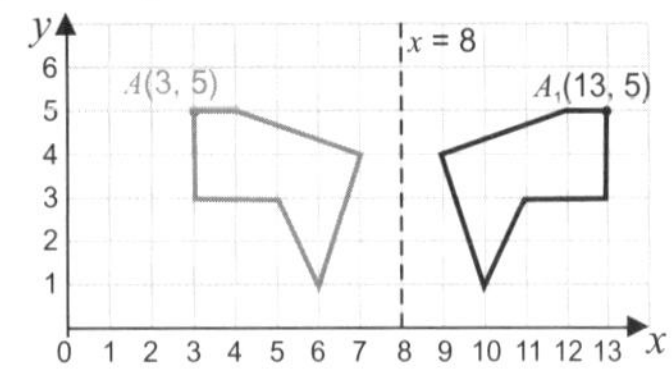

2 a), **b)** and **c)**

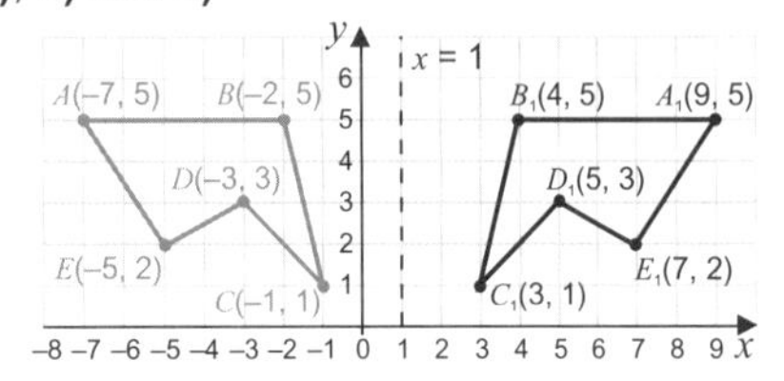

3 a), **b)** and **c)**

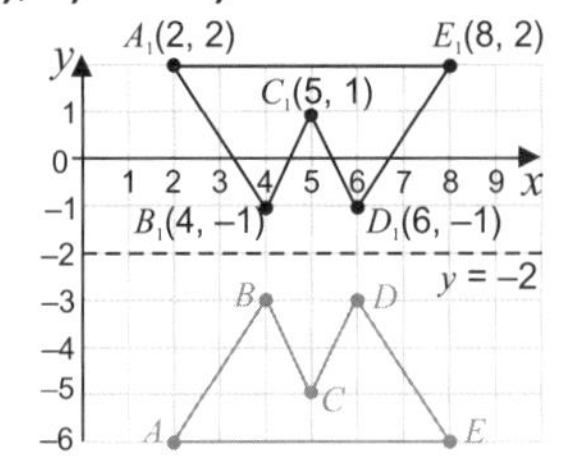

4

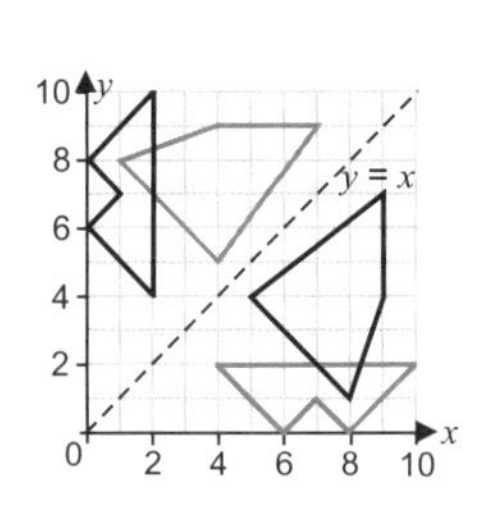

5 a) $x = -1$

b) $y = -1$

c) $y = x$

16.2 Rotation

Page 217 Exercise 1

1 a)

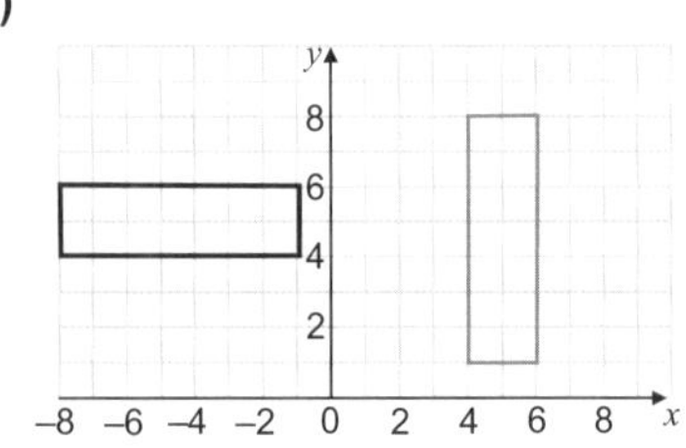

b)

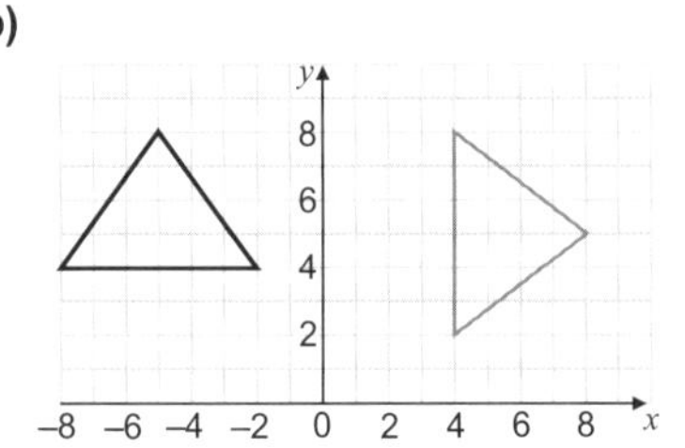

2 a)

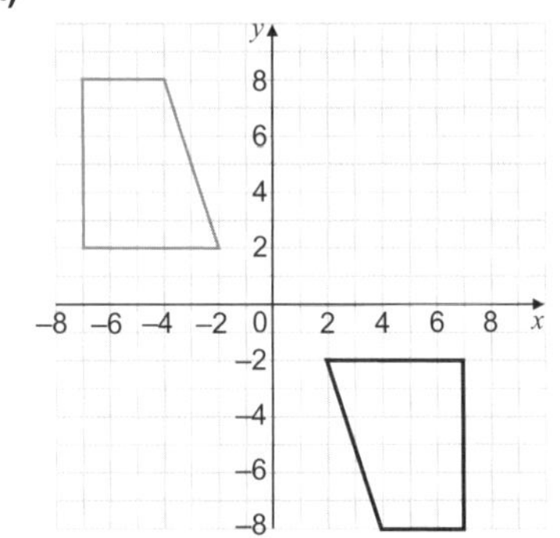

b)

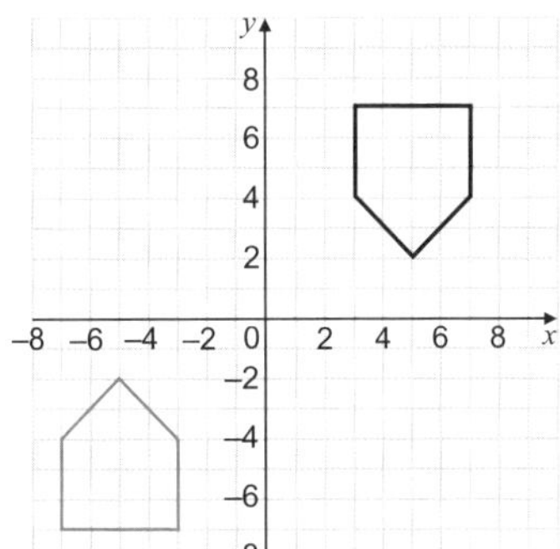

3 a)

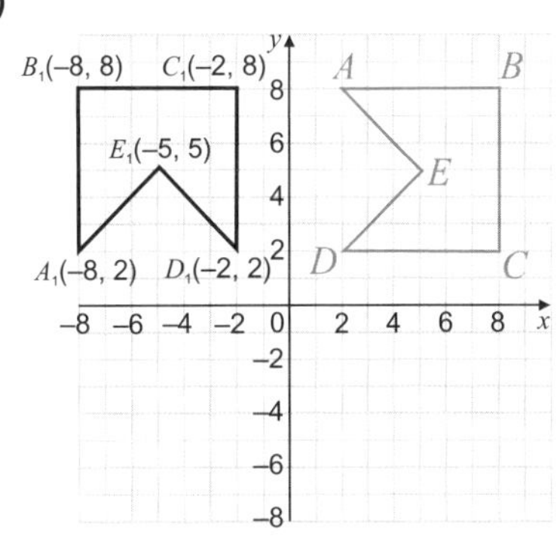

b)

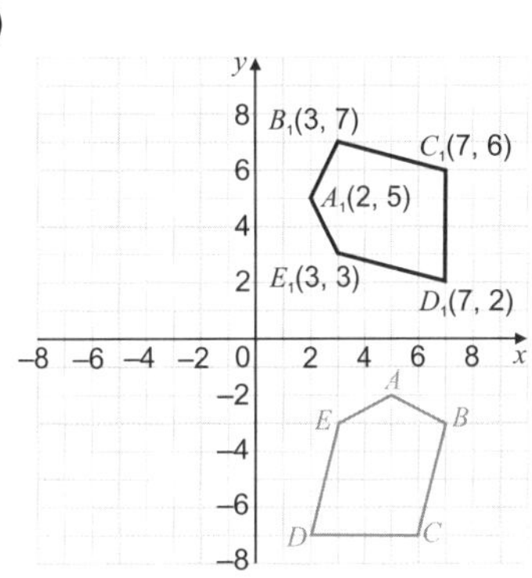

4

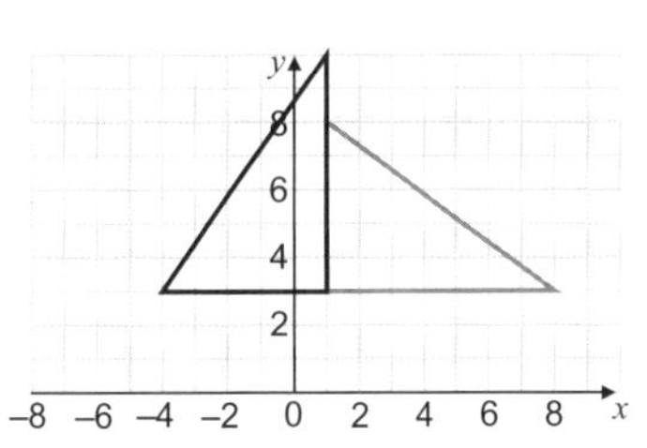

5 a) and **b)**

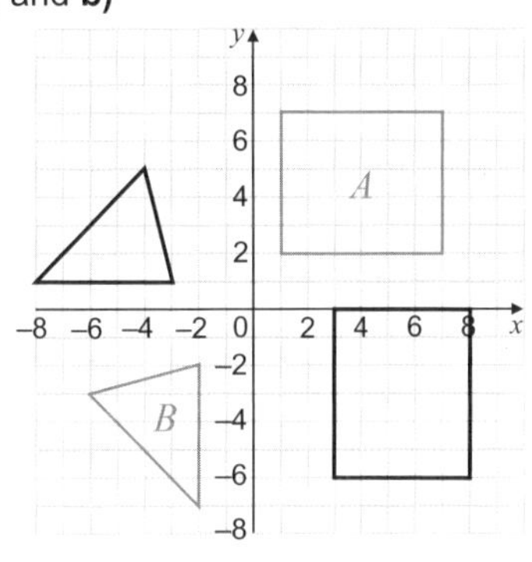

6

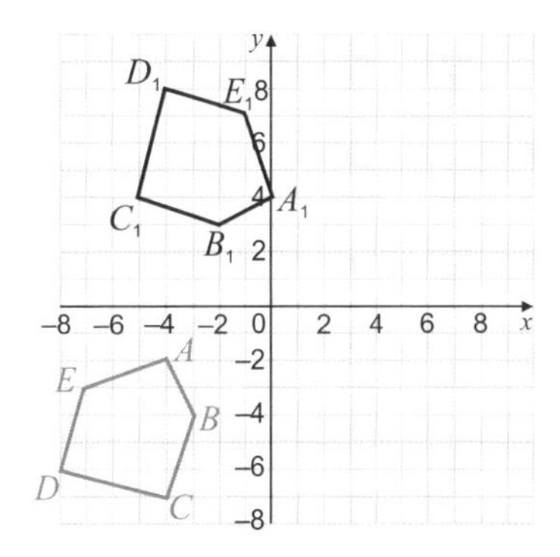

$A_1(0, 4)$, $B_1(-2, 3)$, $C_1(-5, 4)$, $D_1(-4, 8)$, $E_1(-1, 7)$

7 a) and **b)**

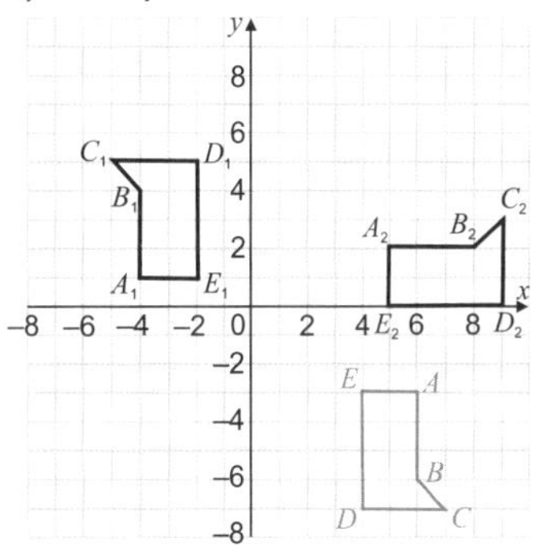

$A_1(-4, 1)$, $B_1(-4, 4)$, $C_1(-5, 5)$, $D_1(-2, 5)$, $E_1(-2, 1)$
$A_2(5, 2)$, $B_2(8, 2)$, $C_2(9, 3)$, $D_2(9, 0)$, $E_2(5, 0)$

8 A rotation of 90° clockwise or 270° anticlockwise about the point (0, 1)

16.3 Translation

Page 219 Exercise 1

1 a)

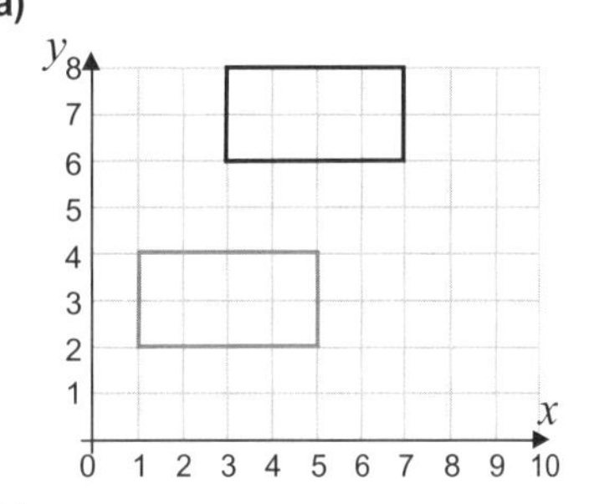

b)

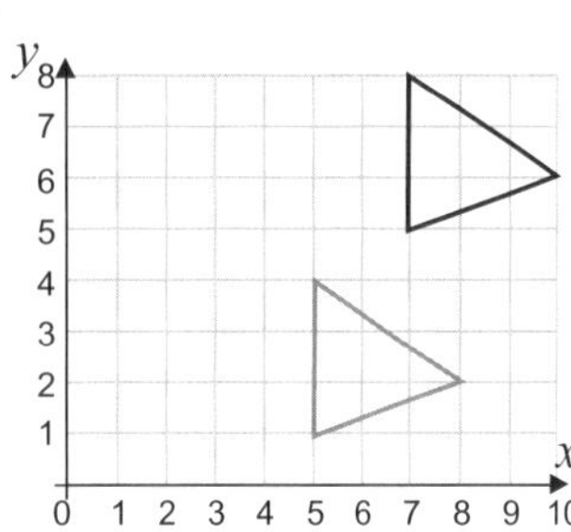

2 a)

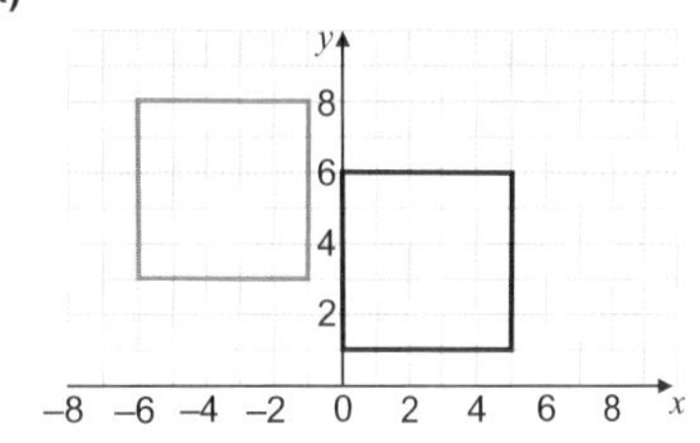

b)

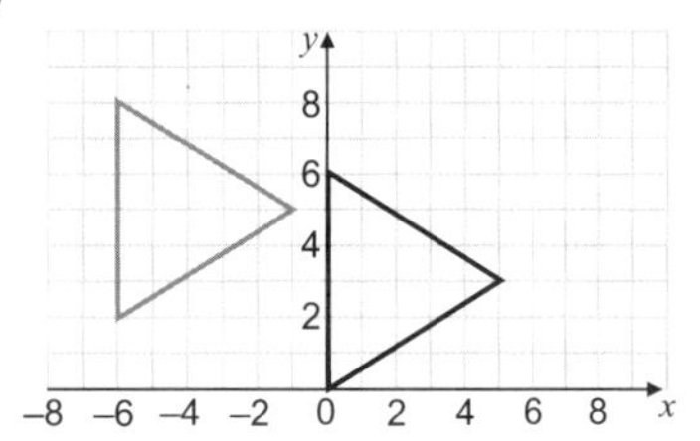

3 a)

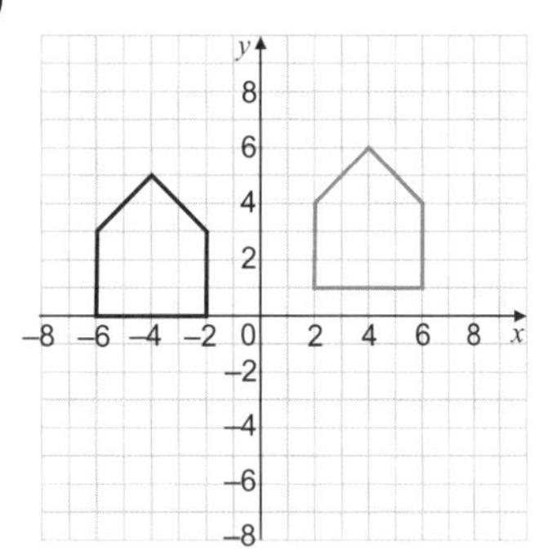

b)

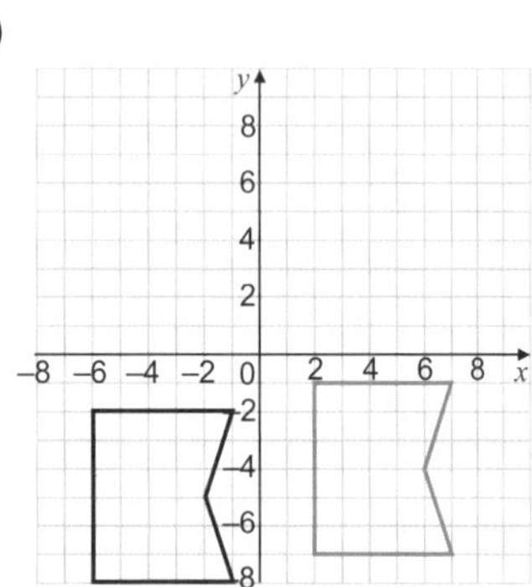

4 a), b), c) and **d)**

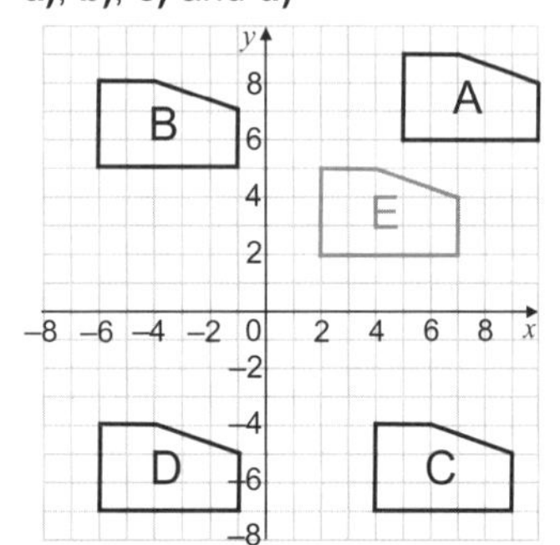

5 a) $\begin{pmatrix}0\\3\end{pmatrix}$ **b)** $\begin{pmatrix}5\\0\end{pmatrix}$

6 a) $\begin{pmatrix}11\\7\end{pmatrix}$ **b)** $\begin{pmatrix}9\\-1\end{pmatrix}$ **c)** $\begin{pmatrix}-12\\8\end{pmatrix}$

7 a) $\begin{pmatrix}10\\12\end{pmatrix}$ **b)** $\begin{pmatrix}-10\\-12\end{pmatrix}$

c) The distances that the vectors move the shape are the same, but one vector is positive and the other is negative. The vector in **a)** moves the shape up and right and the vector in **b)** moves it down and left.

16.4 Enlargement

Page 223 Exercise 1

1 a)

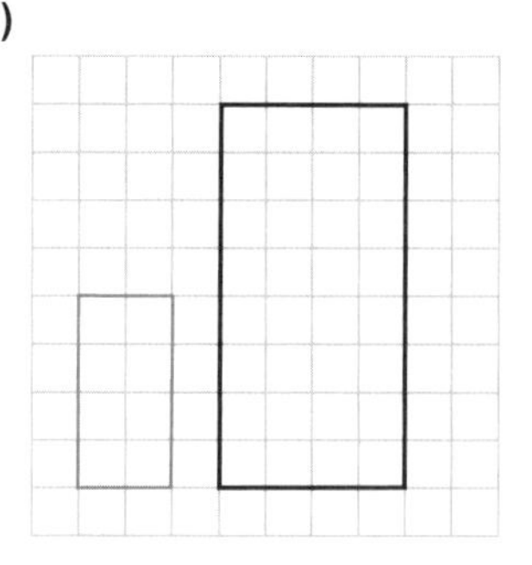

b)

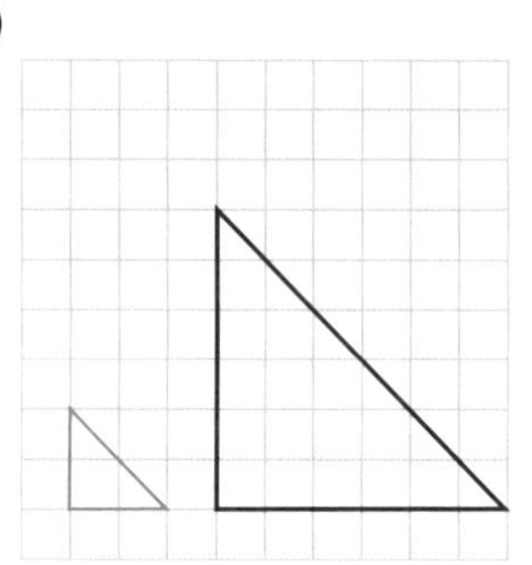

2 a)

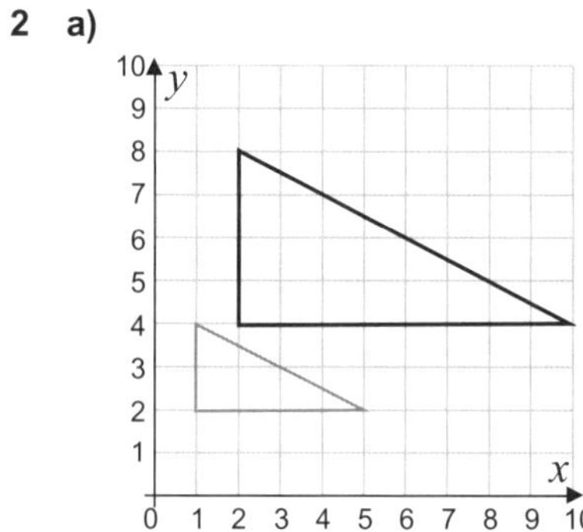

b)

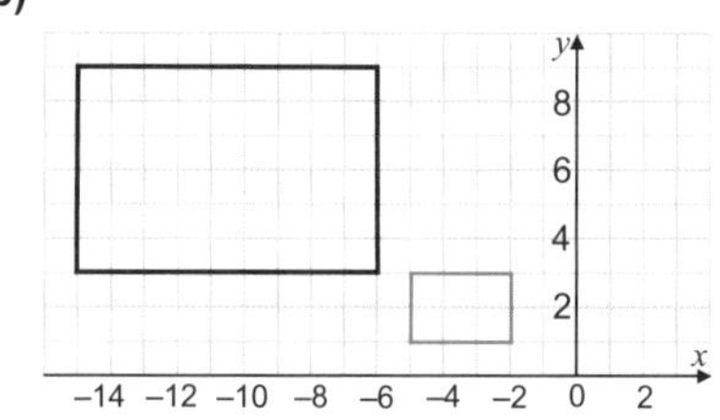

3 a)

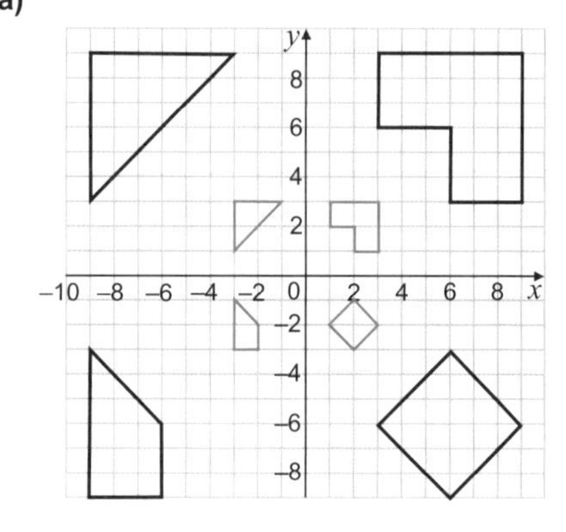

b)

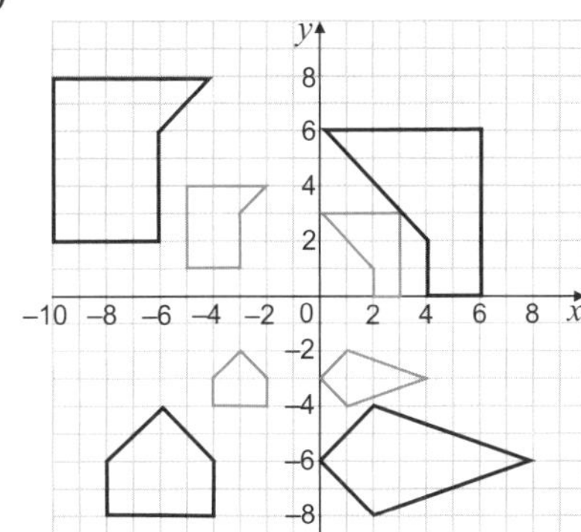

4 a)

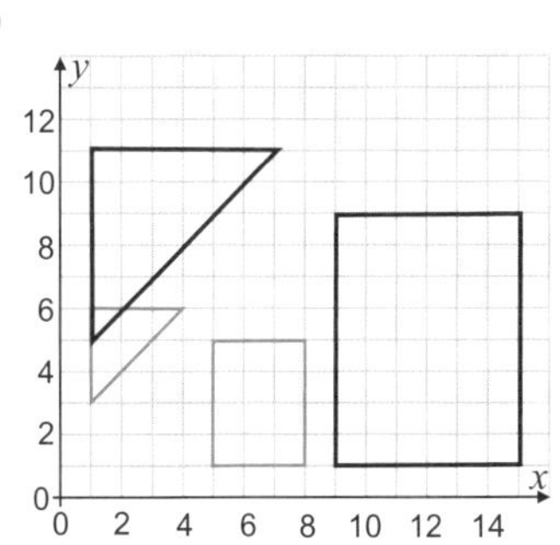

b)

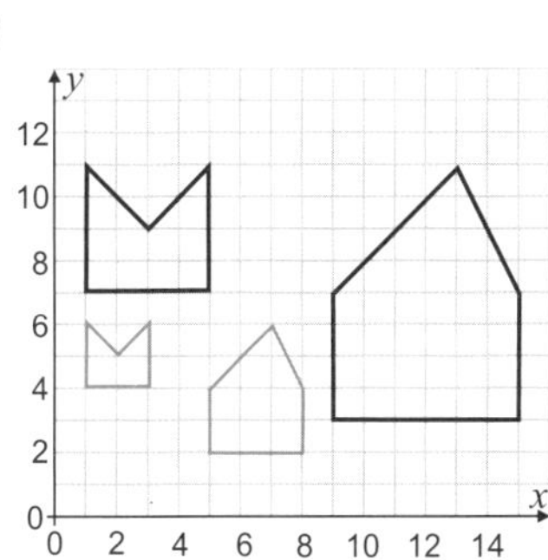

5 a)

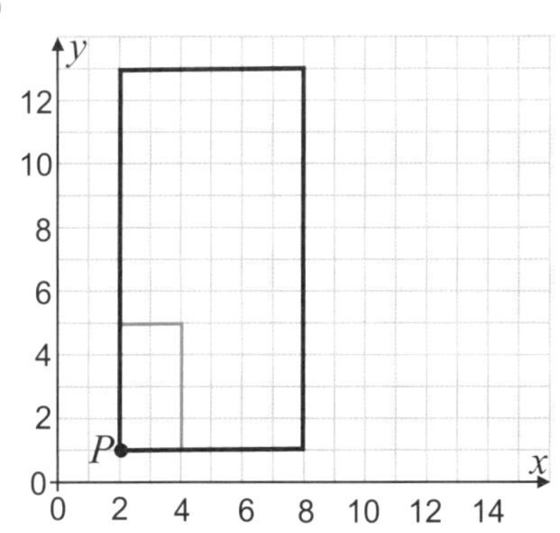

b)

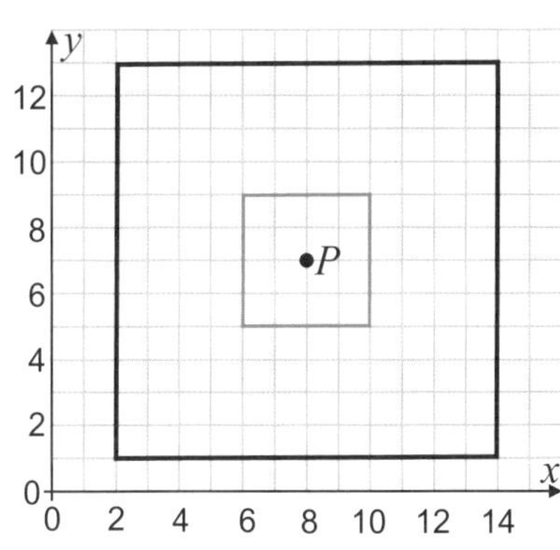

6 a), **b)** and **c)**

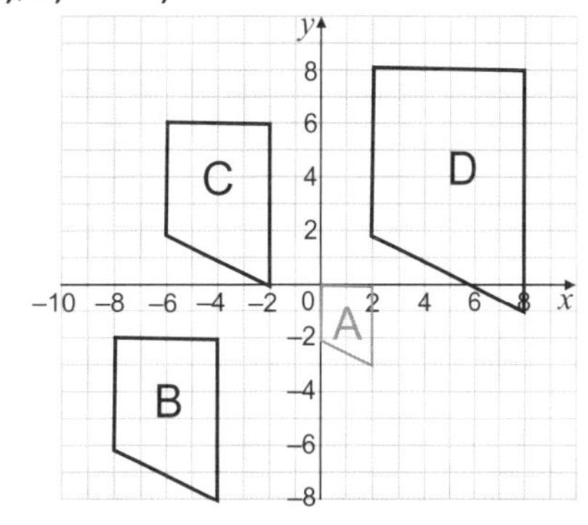

7 a)

Shape	Enlarged shape
$A(1, 2)$	$A_1(1, 6)$
$B(1, 5)$	$B_1(1, 15)$
$C(4, 5)$	$C_1(10, 15)$
$D(4, 2)$	$D_1(10, 6)$

b) Scale factor = 3, centre of enlargement = (1, 0)

Section 17 — Probability

17.1 The Probability Scale

Page 226 Exercise 1

1 **a)** D **b)** A **c)** B **d)** C

2 **a)** C **b)** A **c)** B **d)** D

3

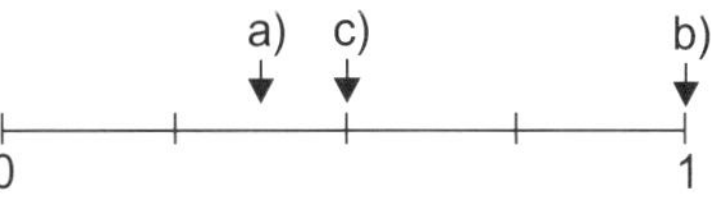

4 **a)** **i)** C **ii)** A **iii)** B **iv)** D

b) E.g. A — picking a blue card from a pack of 10 cards where 1 is blue and 9 are red.
B — rolling higher than a 2 on a fair, six-sided dice.
C — tossing a head on a coin
D — picking a green card from a pack of 10 cards where 8 are green and 2 are yellow.

17.2 Probability Experiments

Page 227 Exercise 1

1 **a)** 34% **b)** 66%

2 1: 0.49, 2: 0.34, 3: 0.08, 4: 0.09

3 1: $\frac{26}{130}$, 2: $\frac{21}{130}$, 3: $\frac{18}{130}$, 4: $\frac{31}{130}$, 5: $\frac{19}{130}$, 6: $\frac{15}{130}$

Page 228 Exercise 2

1 **a)** 6 **b)** 36 **c)** 60 **d)** 600

2 **a)** 30 **b)** 30 **c)** 90 **d)** 120

3 **a)** 30 **b)** 50 **c)** 180

4 21

Page 229 Exercise 3

1 a) 1: 0.25, 2: 0.19, 3: 0.2, 4: 0.36
b) 1: 0.25, 2: 0.25, 3: 0.25, 4: 0.25
c) E.g. The dice seems biased as the relative frequency for rolling a 4 is much higher than the theoretical probability.

2 a) 20 times
b) The dice may be biased as the number 2 comes up much more than expected.

17.3 Theoretical Probabilities

Page 230 Exercise 1

1 a) 10 b) 6 c) $\frac{3}{5}$

2 a) 6
b) i) $\frac{1}{6}$ ii) $\frac{1}{3}$ iii) $\frac{1}{2}$

3 $\frac{1}{4}$, 0.25, 25%

4 a) $\frac{1}{6}$ b) 3 c) $\frac{1}{2}$

5 a) $\frac{1}{13}$ b) $\frac{1}{2}$ c) $\frac{1}{4}$

6 a) 0.1 b) 0.2 c) 0.4 d) 0 e) 0.3

7 1.25%

8 One card must be a 2.
The other card could be a 1, 3, 5, 7 or 9.

Page 232 Exercise 2

1 a) 0.1 b) 0.8

2 15%

3 0.34

4 a) 0.35 b) 0.6

5 a) $\frac{13}{20}$ b) $\frac{17}{20}$ c) $\frac{9}{20}$

6 4 blue counters, 2 silver counters and 4 gold counters

Page 233 Exercise 3

1

	1	2	3	4
Heads	H1	H2	H3	H4
Tails	T1	T2	T3	T4

2

	Red	Orange	Green
Red	RR	RO	RG
Orange	OR	OO	OG
Green	GR	GO	GG

3 a)

	2	4	6	8
1	3	5	7	9
2	4	6	8	10
3	5	7	9	11
4	6	8	10	12

b) 16

4 a)

	1	2	3	4	5	6
1	1	2	3	4	5	6
2	2	4	6	8	10	12
3	3	6	9	12	15	18
4	4	8	12	16	20	24
5	5	10	15	20	25	30
6	6	12	18	24	30	36

b) 36

Page 235 Exercise 4

1 a) $\frac{1}{4}$ b) $\frac{1}{4}$ c) $\frac{1}{2}$

2 a)

	1	2	3	4	5	6
Heads	H1	H2	H3	H4	H5	H6
Tails	T1	T2	T3	T4	T5	T6

b) i) $\frac{1}{12}$ ii) $\frac{1}{6}$

3 a)

	1	2	3	4	5	6
1	2	3	4	5	6	7
2	3	4	5	6	7	8
3	4	5	6	7	8	9
4	5	6	7	8	9	10
5	6	7	8	9	10	11
6	7	8	9	10	11	12

b) i) $\frac{1}{6}$ ii) $\frac{1}{12}$ iii) $\frac{1}{12}$
c) Most likely = 7, least likely = 2 or 12

4 Kerry is more likely to win the game, as there are 19 ou of 36 possible outcomes where she wins, but only 17 out of 36 where Callum wins.

17.4 Sets

Page 236 Exercise 1

1 a) i) A = {red, orange, yellow, green, blue, indigo, violet}
ii) n(A) = 7
b) i) B = {Saturday, Sunday} ii) n(B) = 2
c) i) C = {1p, 2p, 5p, 10p, 20p, 50p, £1, £2}
ii) n(C) = 8
d) i) D = {January, June, July} ii) n(D) = 3

2 a) i) A = {1, 2, 4, 5, 10, 20} ii) n(A) = 6
b) i) B = {3, 6, 9, 12, 15, 18, 21, 24, 27, 30}
ii) n(B) = 10
c) i) C = {1, 4, 9, 16, 25, 36, 49, 64, 81, 100}
ii) n(C) = 10
d) i) D = {23, 29, 31, 37} ii) n(D) = 4

3 a) A = {1, 3, 5, 7, 9}
b) B = {1, 2, 4, 8}
c) C = {2, 3, 5, 7}
d) D = {3, 6, 9}

4 **a)** A = {36, 49}
b) B = {35, 42, 49}
c) C = {30}
d) D = {31, 37, 41, 43, 47}

5 E.g. A = {factors of 12}, B = {multiples of 6}, C = {factors of 23}

6 **a)** A = {2, 4, 6, 8, 10, 12, 14, 16, 18, 20, 22, 24}
b) B = {1, 2, 3, 6, 9, 18}
c) C = {1, 2, 3, 4, 6, 8, 9, 10, 12, 14, 16, 18, 20, 22, 24}
n(C) = 15
d) D = {2, 6, 18}, n(D) = 3

Page 238 Exercise 2

1

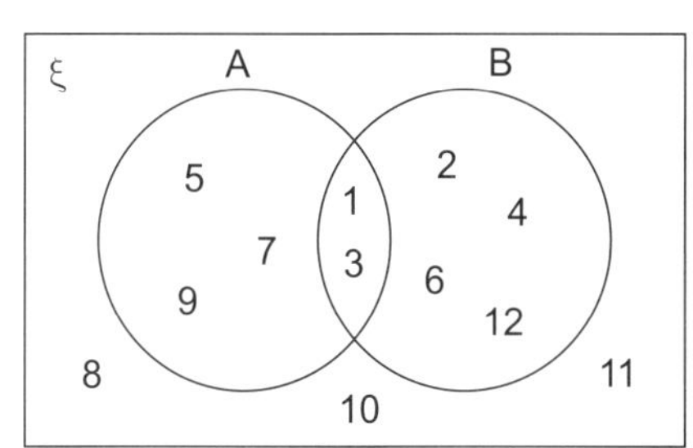

2 **a), b), c)**

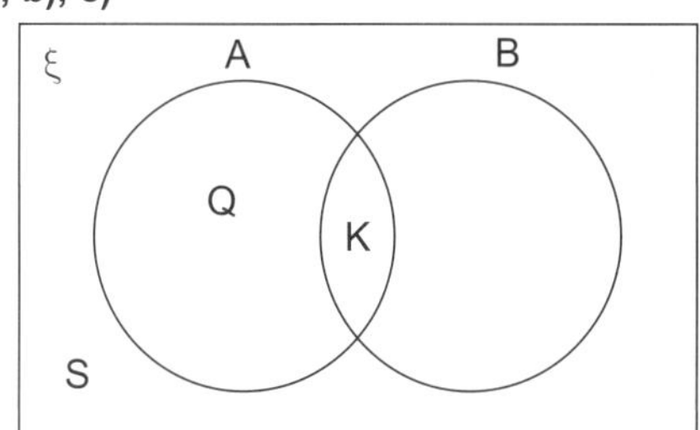

3

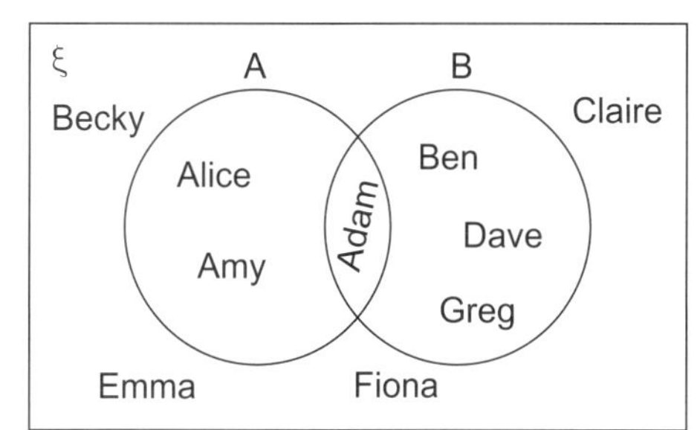

4 **a)** 2, 3, 4, 5, 6, 7, 8, 10, 11, 12, 13, 14
b) 2

5 **a)**

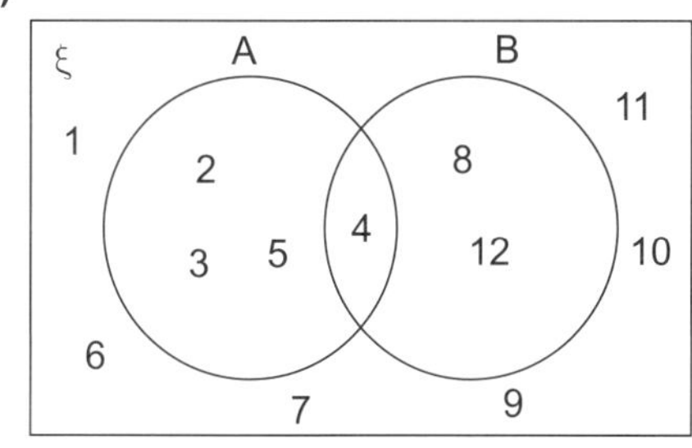

b)

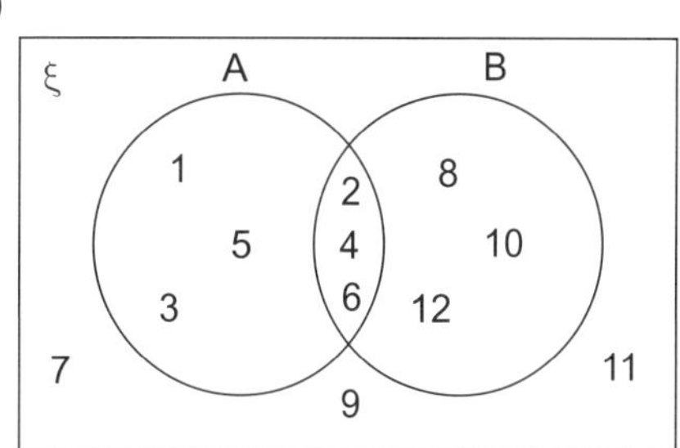

c)

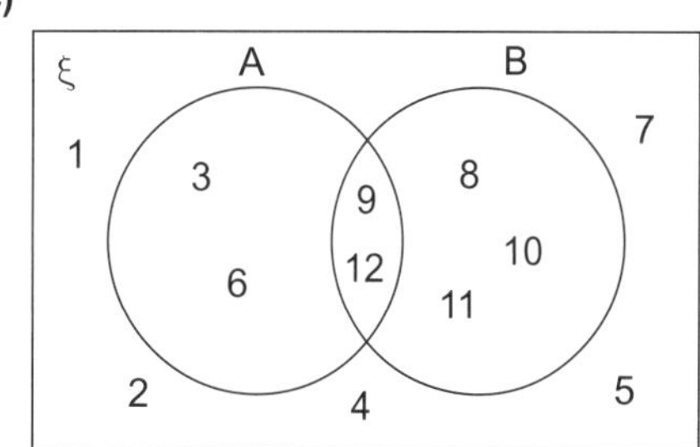

6 **a)**

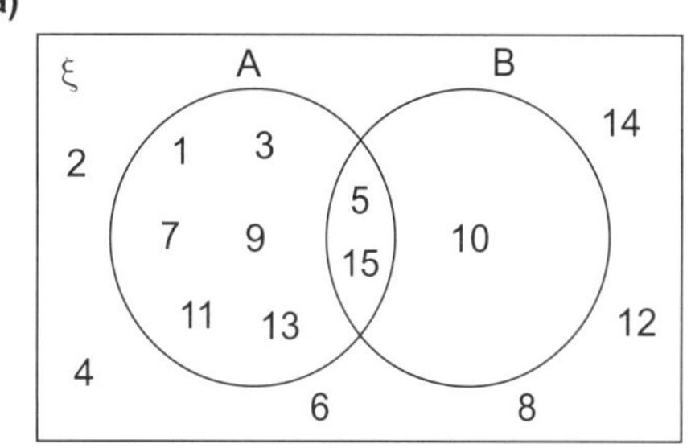

b)

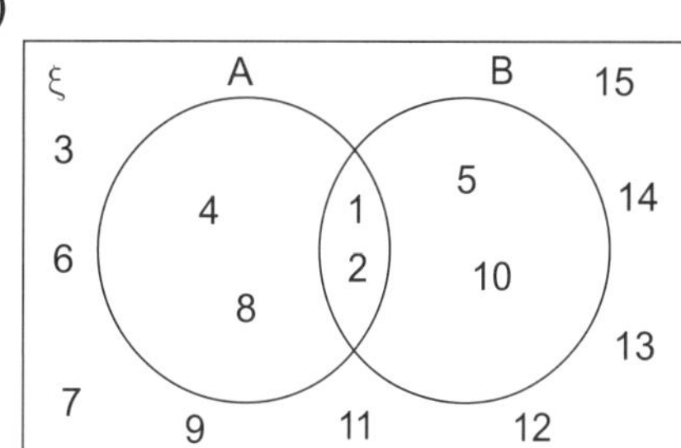

c)

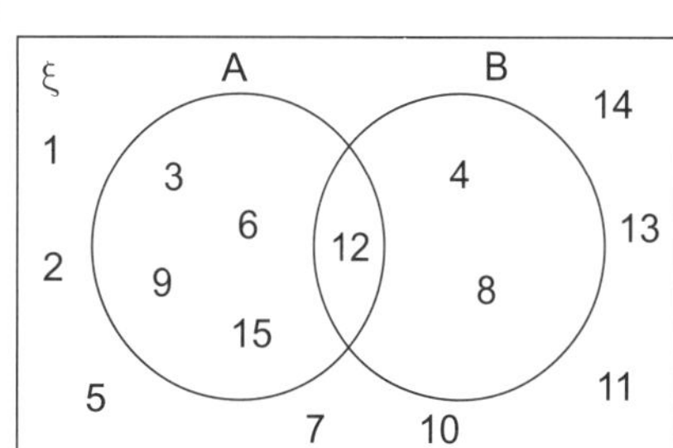

7

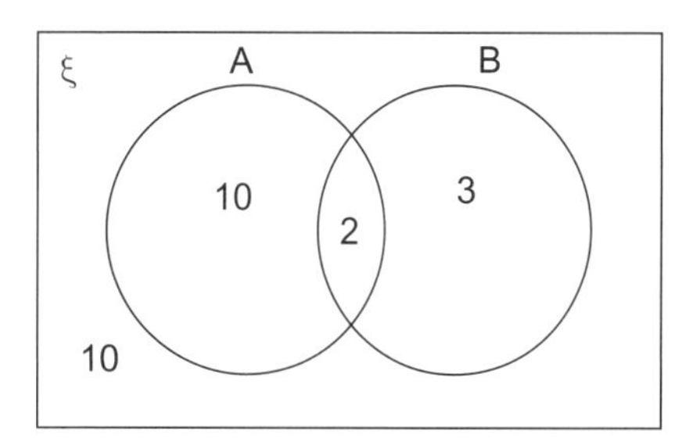

8 a)

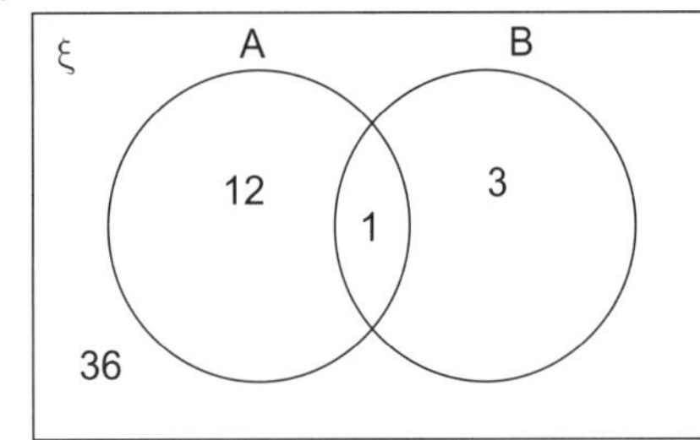

b) i) 13 **ii)** 16 **iii)** 1

iv) $\frac{1}{52}$ **v)** $\frac{4}{13}$

Section 18 — Statistics

18.1 Bar Charts and Pictograms

Page 240 Exercise 1

1

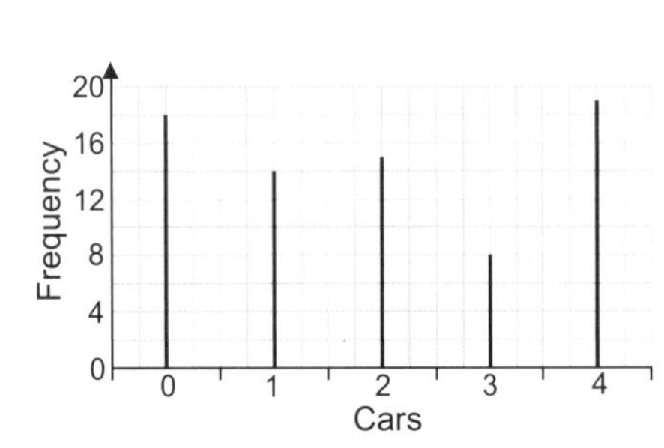

2

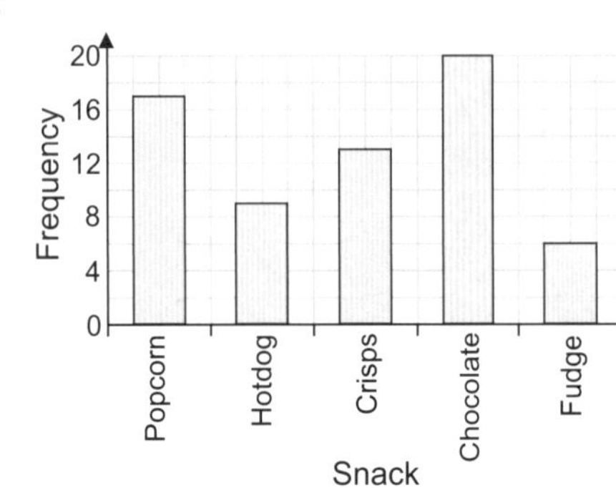

3 a) Tim **b)** 22 miles **c)** 8 miles

d) No, Tim is not correct. He cycled 58 miles in total, but Stuart cycled 64 miles in total.

4 a)

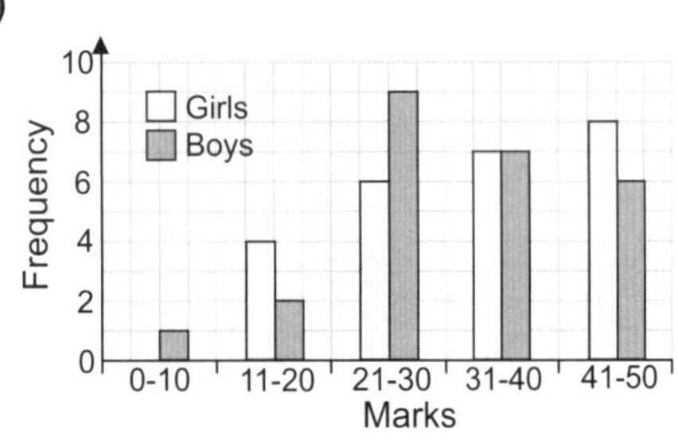

b) 88%

c) E.g. more girls than boys got the highest marks. / Boys were most likely to get about half the test right, whereas girls were most likely to get a score of 41 or higher.

Page 242 Exercise 2

1

Jan	
Feb	
Mar	

2

Sept	
Oct	
Nov	
Dec	

3

Tennis	
Football	
Rugby	
Athletics	

4 a) 65 **b)** 165 **c)** 55 **d)** $\frac{5}{22}$

5 a)

Green	
Blue	
White	
Purple	
Black	

Key: = 2 bags

b) 20 **c)** 12 **d)** 40%

6 a)

Key: = 4 parcels

b) Josie **c)** Ralph **d)** 20%

18.2 Pie Charts

Page 244 Exercise 1

1 Juggling

2 a) Chocolate **b)** Vanilla **c)** $\frac{1}{6}$

3 a) Cat **b)** Dog **c)** $\frac{11}{24}$

d) No. The pie chart just gives proportions, not actual numbers.

4 a) Tuna **b)** 25% **c)** 100

5 a) $\frac{5}{24}$ **b)** 280 **c)** 160

6 a) $\frac{5}{12}$ **b)** 80 **c)** 155

7 a) i) 180 **ii)** 440 **b)** 57%

Page 247 Exercise 2

1 **a)** 60 **b)** 6°

c)

Colour	Frequency	Angle
Black	6	6 × 6 = 36°
Blue	18	18 × 6 = 108°
Red	25	25 × 6 = 150°
Other	11	11 × 6 = 66°

d)

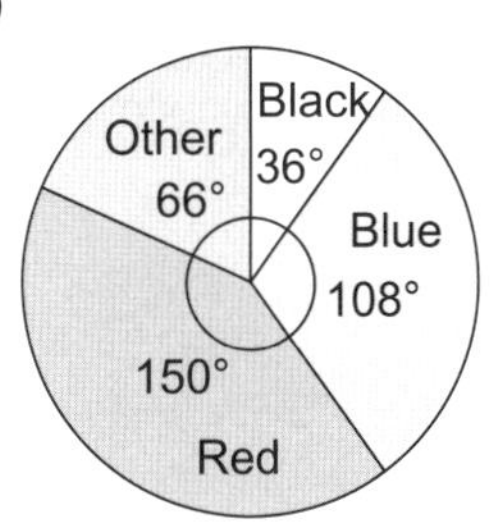

2 **a)** 90 **b)** 4°

c)

Type of Book	Angle
Crime	72°
Adventure	96°
Thriller	88°
Sci-fi	104°

d)

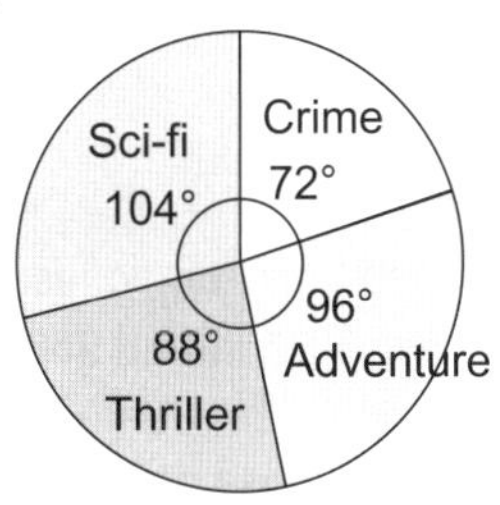

3 **a)** 120

b)

Number of Pets	Angle
0	138°
1	126°
2	60°
3 or more	36°

c)

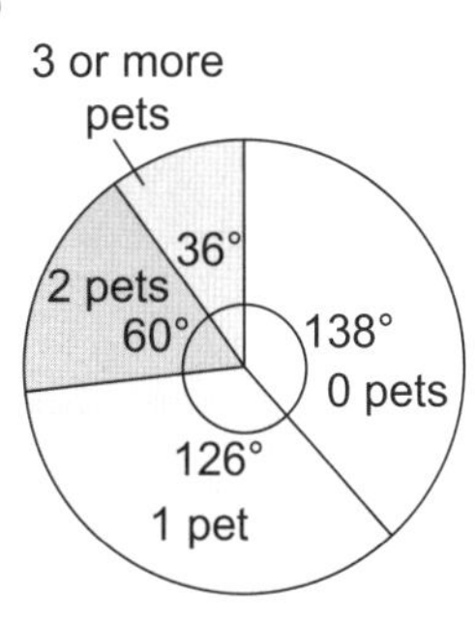

4

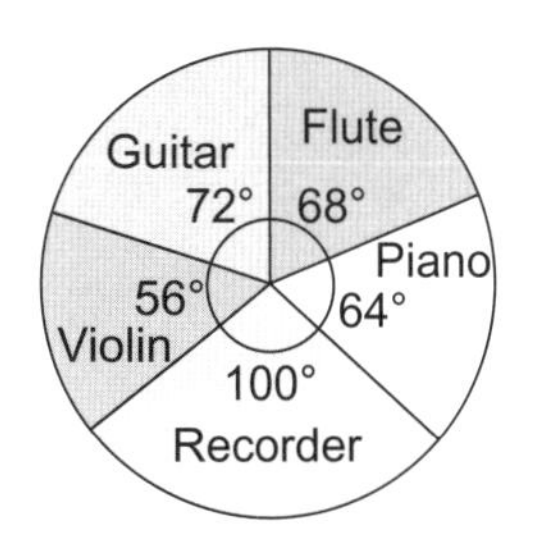

5

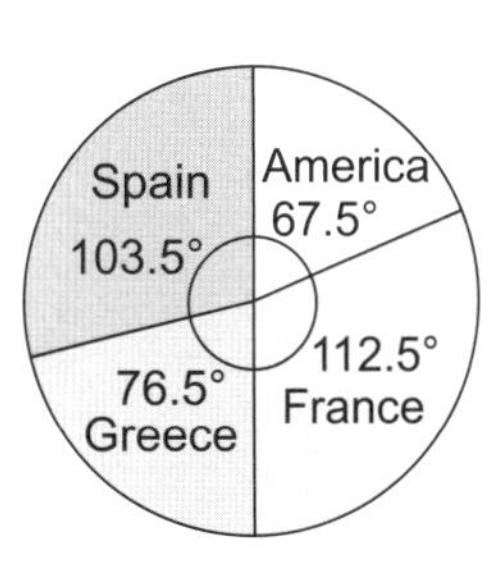

6

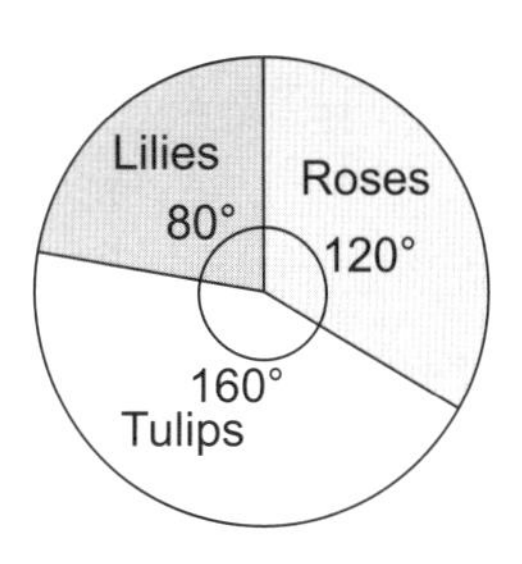

18.3 Scatter Graphs

Page 249 Exercise 1

1 **a)** Negative correlation
b) Positive correlation
c) No correlation

2 **a)** Negative correlation. As the mileage of a car increases, its value decreases.
b) No correlation. There is no connection between a person's shoe size and how much time they spend reading each day.
c) Positive correlation. The longer the race distance, the greater the world record time to complete it.

3 **a)** Positive correlation — people with large feet are likely to also have large hands.
b) Positive correlation — people are more likely to visit a theme park if the temperature is higher.
c) No correlation — there probably isn't a connection between how much it's raining and how many newspapers are bought.
d) Positive correlation — people who do well on a maths test are likely to also do well on a science test.
e) Negative correlation — the more time people spend watching TV, the less time they will have available for doing homework.

Page 251 Exercise 2

1 **a)** 28° **b)** 5 glasses **c)** 3 days

2

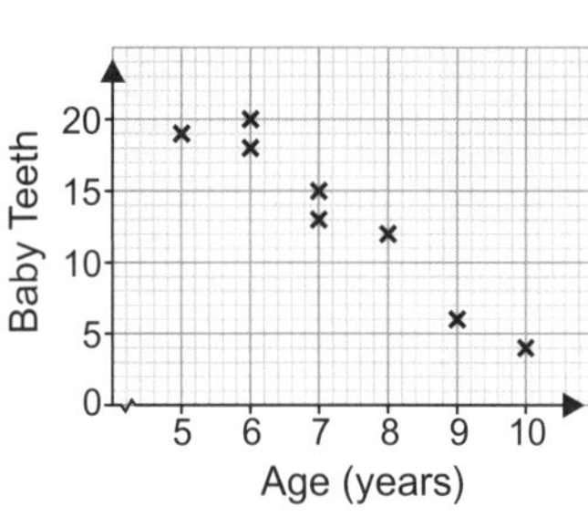

3 **a)**

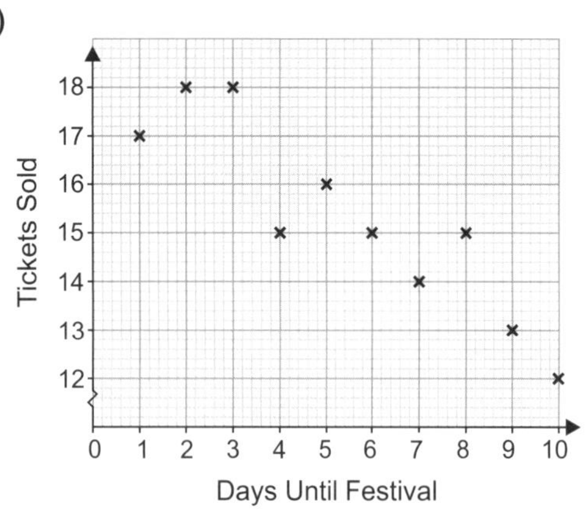

b) Negative correlation

c) More tickets are sold each day the closer it gets to the festival.

4 **a) i)**

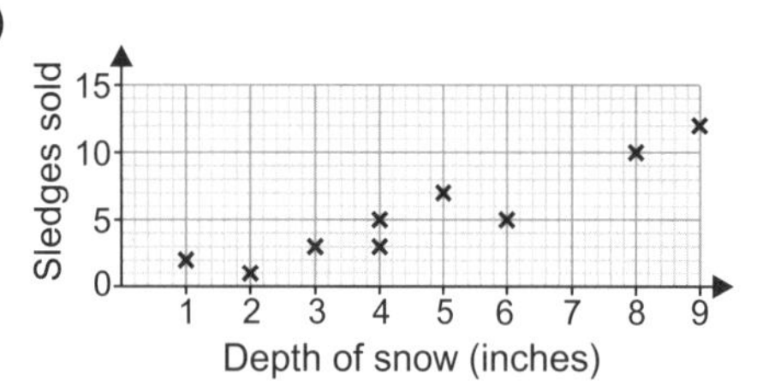

ii) Positive correlation

iii) As the depth of snow increases, more people buy sledges.

b) i)

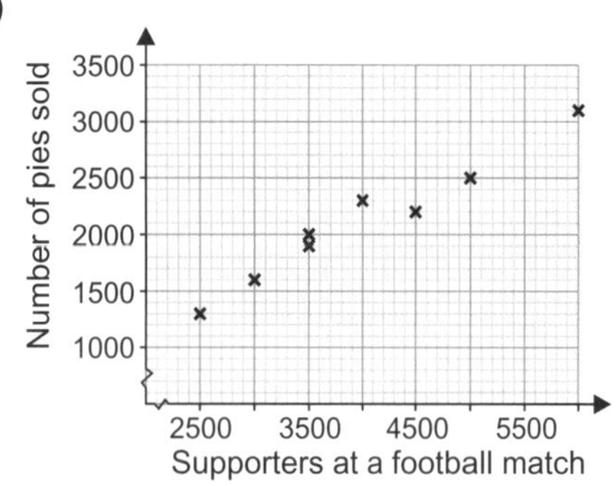

ii) Positive correlation

iii) The more supporters at a football match, the more pies are sold.

c) i)

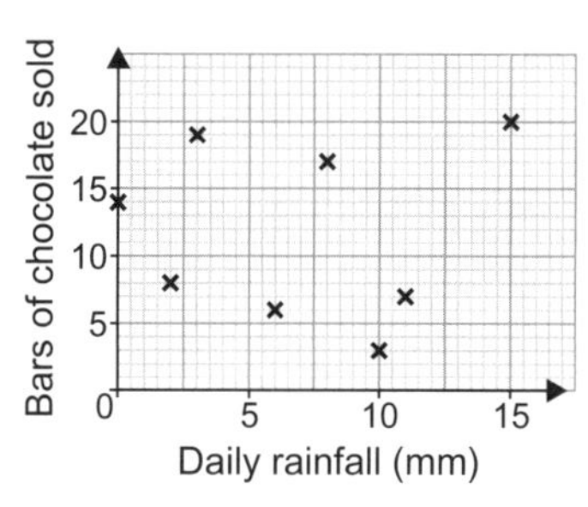

ii) No correlation

iii) There is no connection between how much rain falls and the number of bars of chocolate sold.

d) i)

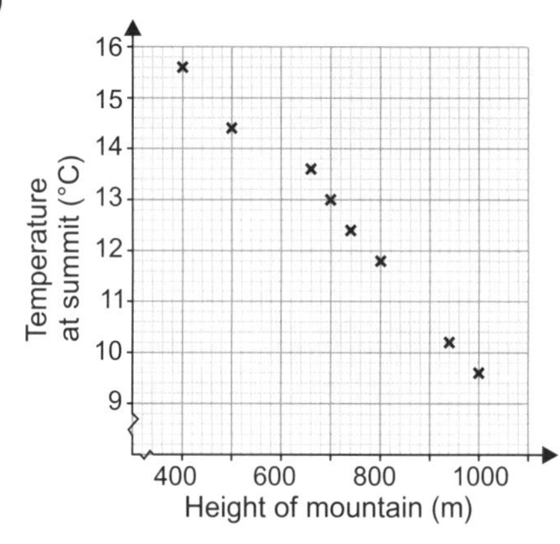

ii) Negative correlation

iii) The higher the mountain, the lower the temperature at the summit.

Page 253 Exercise 3

1 D

2 **a)** Yes — the line passes close to all the points.

b) No — the points are randomly scattered and show no correlation, so a line of best fit is meaningless.

c) No — the line should pass as close as to as many of the points as possible, but this line tries to include one very different result.

3 **a)** Negative correlation

b) 22

4 **a)** and **b)**

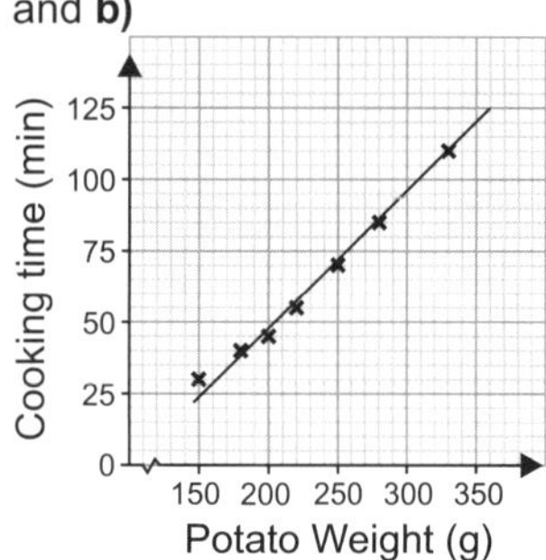

c) 95 minutes

18.4 Averages and Range

Page 255 Exercise 1

1 7
2 **a)** 1, 2, 2, 3, 5, 8 **b)** 7
3 Mode = 6, Range = 6
4 **a) i)** 7 **ii)** 7
b) i) 23 **ii)** 12
c) i) 1 **ii)** 9
d) i) 11 **ii)** 1
e) i) 52 **ii)** 19
f) i) 46 **ii)** 38
g) i) 91 and 94 **ii)** 17
h) i) no mode **ii)** 88
5 **a)** 67 **b)** 10
6 £7.49
7 **a)** 6 **b)** 32
8 **a)** 380 miles **b)** 646 miles
9 **a)** 7 °C **b)** –1 °C
10 **a) i)** –3 **ii)** 6
b) i) 2.1 **ii)** 0.8
c) i) –11 **ii)** 23
d) i) –5.9 **ii)** 8.6
11 4, 7, 7, 9

Page 257 Exercise 2

1 9
2 **a)** 9, 10, 11, 14, 15, 16, 19 **b)** 14
3 **a)** 14 **b)** 42 **c)** 18 **d)** 8
e) 2 **f)** 22 **g)** 84 **h)** 106
4 **a)** 5, 6, 6, 8, 11, 12 **b)** 6, 8 **c)** 7
5 **a)** 13 **b)** 4 **c)** 6
d) 17 **e)** 45 **f)** 61
6 21
7 97 books
8 £20
9 **a)** 4.9 **b)** 4.4
10 **a)** –7, –3, –1, 2, 5 **b)** –1
11 **a)** –2 **b)** –7 **c)** –2
12 **a)** 12, 13, 14 or 15
b) 9

Page 259 Exercise 3

1 **a)** 25 **b)** 5
2 **a)** 6 **b)** 4 **c)** 8 **d)** 12 **e)** 15
f) 12 **g)** 18 **h)** 24 **i)** 50 **j)** 23
3 **a)** 6.5 **b)** 9.5 **c)** 7.8 **d)** 22.6
e) 29.8 **f)** 56.5 **g)** 3.6 **h)** 57.7
4 88p
5 24
6 150 g
7 29 °C
8 **a)** 20 cm **b)** 19 cm
9 **a)** –4 **b)** –9 **c)** –3
d) 7.15 **e)** 12.1 **f)** 23.6
10 –1 °C

Page 261 Exercise 4

1 18
2 **a) i)** 29.5 **ii)** 13
b) i) 29 **ii)** 26
3 **a)** 142 miles **b)** 123 miles

18.5 Averages and Range from Tables

Page 262 Exercise 1

1 1
2 **a)** 3 **b)** 5

Page 263 Exercise 2

1 **a)** 11th position
b) 2
2 22 °C
3 3

Page 264 Exercise 3

1 **a)**

Words remembered	Frequency	Words × Frequency
7	2	7 × 2 = 14
8	3	8 × 3 = 24
9	6	9 × 6 = 54
10	2	10 × 2 = 20
11	2	11 × 2 = 22
12	1	12 × 1 = 12
Total	16	146

b) 9 words
2 **a)** and **b)**

Glasses	Frequency	Glasses × Frequency
1	3	3
2	7	14
3	3	9
4	1	4
Total	14	30

c) 2 glasses
3 2 blackbirds
4 **a)** 1.25 **b)** 1.75
c) The advert appears to have been successful as the mean number of cars sold per day increased after the advert was played.

18.6 Comparing Distributions

Page 266 Exercise 1

1 a)

3 | 1 2 9
4 | 0 2 9
5 | 2 3 9
6 | 2 6 7

3|1 means 31

b)

1 | 1 2 4 4
2 | 1 4 7 7 9
3 | 8
4 | 8 9

1|2 means 12

c)

6 | 9
7 | 0 1
8 | 4 6 6 7 9
9 | 1 2 4 6

6|9 means 69

d)

4 | 9
5 | 3 6
6 | 2 3 9
7 | 0 3 3 4
8 | 1 2

4|9 means 49

e)

0 | 4 7
1 | 5
2 | 1 4 5 6
3 | 1 2 5 6 8

0|4 means 0.4

f)

5 | 4
6 | 2 5
7 | 1 3 7 8
8 | 0 4 5 6
9 | 9

5|4 means 5.4

2

2 | 0 9
3 | 1 2 3 7
4 | 3 3 5 7 7 8 8
5 | 1 3 4 5 6 8
6 | 1 1 2

2|0 means 20 vehicles

3 a)

10 | 8
11 | 4 5 8
12 | 0 6 8 9
13 | 7 8
14 | 2 3 9
15 | 4 6 7

10|8 means 10.8 seconds

b) Only 4 children ran the race in less than 12 seconds, which is less than half the class, so the teacher is incorrect.

Page 268 Exercise 2

1 a) i) 76 **ii)** 65 **iii)** 36
b) i) 116 and 103 **ii)** 112 **iii)** 34
c) i) 3.1 **ii)** 2.5 **iii)** 3.8

2 a) 99 cm and 95 cm **b)** 96 cm **c)** 31 cm

3 a)

0 | 8
1 | 4 5
2 | 2 5 6 6
3 | 1 2 2 2
4 | 1 1 2 2 3 6 8 9
5 | 2

0|8 means 8 mm

b) 32 mm
c) 32 mm
d) 44 mm

4 a)

10 | 5 9
11 | 3 4 8 9
12 | 3 4 5 8 9
13 | 2 3 7 8 9
14 | 7
15 | 5 5
16 | 3

10|5 means 10.5 seconds

b) i) 15.5 seconds
ii) 12.85 seconds
iii) 5.8 seconds

c) The median represents the data better, as the mode is a lot higher than most of the other data values.

Page 270 Exercise 3

1

Girls		Boys
8 3	0	
9 7 4	1	
9 7 4 3 3 3 2 0	2	1 7 8
8 3	3	1 5 7 8
	4	0 1 4 5 6 7 8 9

2 | 1 for boys means 21
3 | 0 for girls means 3

2 E.g. Robert's scores are more spread out. Robert got the four lowest scores, but also got the four highest scores. Edward's scores were mostly in the middle three rows, showing that his scores were more consistent.

3 a)

Class 3		Class 4
	0	5
9 7 2 1 0	1	8
8 6 3 2 0	2	1
9 8 7 5	3	2 5 7 8 9
5	4	0 4 7 9
	5	1 5 6

0 | 1 for class 3 means 10
0 | 5 for class 4 means 5

b) E.g. There are more values in the top 3 rows for class 3, and more values in the bottom 3 rows for class 4, meaning that in general class 3 spent less than class 4. Both the smallest and the largest amounts were spent by someone in class 4.

4 a)

Coleighton		Budford
	11	2 4 5 7 8
8	12	0 1 3
2	13	2 2 6 7
9 9 7 6	14	2
8 8 3 2	15	
9 8 3 2	16	
	17	0

8 | 12 for Coleighton means 12.8 °C
11 | 2 for Budford means 11.2 °C

b) Coleighton: median = 15.25 °C, range = 4.1 °C
Budford: median = 12.2 °C, range = 5.8 °C

c) E.g. The median for Coleighton is higher, which means Coleighton was generally warmer than Budford. The range for Coleighton is smaller, so the temperatures in Coleighton were more consistent than the temperatures in Budford.

Page 271 Exercise 4

1 The boys have bigger shoe sizes than the girls.

2 In general, it was warmer in Toaston than in Chillton over the month.

3 E.g. The red team had a larger variation in the number of points they scored. / The blue team had more consistent scores.

4 Any two from: E.g. In general, the dogs were heavier than the cats. / The weights of the cats were more consistent. / The large range in the weights of the dogs could mean that there is an outlier in the data.

5 Any two from: E.g. In general, the number of passengers was greater on route 2 than on route 1. / There was a larger variation in the number of passengers on route 2. / The number of passengers on route 1 was more consistent.
The large range in passengers on route 2 means that there may be an outlier in the data.

6 E.g. In general, pupils in class X scored higher than pupils in class Y.
The scores for both class X and class Y fall within a small range and so are quite consistent.

7 E.g. In general, film 1 was rated higher than film 2.
The scores for film 1 were much more consistent than for film 2.
The large range of scores for film 2 implies that there could be an outlier in the data set (smaller than the rest of the data making the mean much lower than the median).

1016 - 15194

M2NA31

£2.00
(Retail Price)

www.cgpbooks.co.uk